# ダ・ヴィンチ、501年目の旅

布施英利
Fuse Hideto

インターナショナル新書 057

# はじめに

旅は、人生の中で、最も楽しい時間の1つだ。

この本は、レオナルド・ダ・ヴィンチ（1452〜1519年）の美術作品を見るために旅した、その思い出を書いたものである。イタリアに生まれ、フランスで没したダ・ヴィンチの作品は、そのほとんどがヨーロッパの美術館にある。また『最後の晩餐』（1495〜98年頃）のように、建築の一部として移動できない壁画もある。

それらを見るためには、ヨーロッパまで足を運ばないといけない。そして、美術を見ることが目的の旅であっても、旅の途中には、その土地の空気や景色に触れ、その土地の料理を食べる時間もある。また一人旅もあれば、二人旅もある。この本の旅はほとんどが一人旅だったが、美術・映像を専攻する息子・琳太郎との二人旅のときもあった。

ところで、旅行記といえば、ふつう、出発する場所（それは自分の住んでいる家や町や国だ）からはじまって、旅をして、帰ってくるという形を取るものだ。地図の上を、1本の線が円環を描いて、元の位置に戻る。自分が好きな旅行記には、たとえば、チャールズ・ダーウィン（1809〜82年）の『ビーグル号航海記』（1839年）や、松尾芭蕉（1644〜94年）の『奥の細道』（1702年）や、和辻哲郎（1889〜1960年）の『イタリア古寺巡礼』（1950年）などがあるが、そのどの旅も、地図の上を1つのベクトルで進む、という構造になっている。

しかし自分は美術の研究者なので、ダ・ヴィンチをめぐる旅は、1度でなく何度もした。それは同じルートの繰り返しでもあった。この本では、そんな旅の体験そのままに、同じ土地への旅が、繰り返し書かれる。それは、1つのベクトルで完結する旅ではなく、寄せては返す海辺の波のような、繰り返す旅の行路である。

それを、そのまま書くと重複があり、くどいものになってしまうかもしれない、とも考えた。しかし自分は、じっさい、そういう旅をしてきた。だいたい、同じ土地への旅が繰り返されるのは、理解が定着することにもなるし、新しい発見が加わり、見方が深まるものでもある。本を読むという行為は、最初の1ページからはじまって、最後のページへと至る、一つのベクトルを辿る旅のようなものでもあるので、そこに波状攻撃のように、同じ場所への旅が繰り返し書かれるのも、また面白いのではないか。そう考えて、こんな構成の本にした。

旅した時間を思い出し、あれこれの記憶を辿り、その思い出を文章として形にしていく旅行記を書く作業は、幸福な時間だった。そんな旅の幸福な時間と、文章を書くという自分のよろこびが、少しでも伝われば何よりだ。もちろん、ダ・ヴィンチという天才の魅力、という旅の目的が読まれた方に届けば、なおさらである。

# 目次

第2章

# 2017年、フィレンツェ、ミラノ……ダ・ヴィンチ若き日の絵画

I. フィレンツェ

美術を学ぶ息子との旅／美術館を追えばダ・ヴィンチの生涯の移動がわかる／ダ・ヴィンチの背後に寄り添う影／ミケランジェロが表現した宇宙／ルネサンス期に現れた心の内面の表現／解剖模型の蠟人形がもつ宇宙観／ウフィツィ美術館でダ・ヴィンチ若き日の3作品を見る／イタリア・ルネサンスの目玉、ボッティチェリの『春』と『ヴィーナスの誕生』／ずっとヴィーナスといえば『メディチのヴィーナス』だった／『キリストの洗礼』、ダ・ヴィンチが描いたのは一部分／セザンヌとダ・ヴィンチ、風景画の共通点／テーマや物語そのものでなく「いかに描かれたか」を追う／モローがダ・ヴィンチの絵から学んだものは／『受胎告知』、構成物のヒエラルキーのなさ／ダ・ヴィンチの構図と黄金比がわかればアートがわかる／『受胎告知』、心の動揺を語る手や指／マリアの右腕が不自然に長い理由／ピカソとダ・ヴィンチ／天使ガブリエルの羽根が表現する自然／デッサンの狂い／タルコフスキーで体感した『東方三博士の礼拝』／「未完成の完成」と水墨画／構図がもたらす崇高さ／修復前と修復後／アニメーションの複数のコマが重なったような

Ⅱ．ミラノ

『最後の晩餐』はミラノでしか見られない／『最後の晩餐』の引っ込む３Ｄ／色彩による遠近法／回内と回外、解剖学から見る腕のポーズ／ミケランジェロ、４体のピエタ／解剖学……ダ・ヴィンチの絵画の科学Ⅰ／ダ・ヴィンチの解剖図の他に類を見ない美しさ／現代にも共通する骨と筋肉への興味／『モナリザ』制作の時期と重なる妊婦や胎児の研究

## 第３章　２０１９年夏、ロンドン……ダ・ヴィンチの手稿

ダ・ヴィンチ、５０１年目の旅／膨大なダ・ヴィンチの手稿＝ノート／ダ・ヴィンチの自然研究、科学研究の全貌／宇宙＝マクロコスモスと人体＝ミクロコスモスの因果／博物学者レオナルド・ダ・ヴィンチ／イギリス王室が所蔵する『解剖手稿』／ドローイングからわかる線の素材感／『最後の晩餐』ドローイングで気になるユダの位置／骨格をバラバラに描いたダ・ヴィンチ／「きらきら星」の回内と回外／人物表現をきっかけに人体のメカニズムに興味をもつ？／性交時の男女の断面もドローイング／ゴッホの『星月

だ／「過去最大規模のレオナルド・ダ・ヴィンチ展」ならではの趣向／大宇宙と小宇宙の照応こそがダ・ヴィンチの世界観／ダ・ヴィンチ漬けの2日間をツイッターで実況中継／やはり『モナリザ』を見ずには帰れない／『モナリザ』には左腕が2本／左腕が連想させる微妙な運動／『モナリザ』は目も頬も唇も微笑んでいない

おわりに

# 第1章

## 2005年、イタリア、ドイツ、フランス、ロシア
## ……ダ・ヴィンチ全点踏破を目指す旅

## ダ・ヴィンチの45歳をめぐる旅

２００５年の冬、集英社の『ＵＯＭＯ（ウオモ）』という雑誌の取材で、ヨーロッパを旅した。

旅のテーマは、レオナルド・ダ・ヴィンチの絵画巡礼で、記事は「全点踏破の旅 レオナルド・ダ・ヴィンチが45歳で達した境地を『微笑みの謎』から読み解く」と題して掲載された。まずは、そのときに書いた原稿を、ここに載せることから、この本をはじめたい。

こんな旅だった。

### まず『ダ・ヴィンチ・コード』の謎をこの目で確かめる

『最後の晩餐』が描かれたのは１４９７年、ダ・ヴィンチ45歳のときである。ダ・ヴィンチというと、老人というイメージがある。しかし、彼にも青春や壮年時代があった。ぼくも45歳だ。これまで何度か『最後の晩餐』を見た。しかし同じ年齢の「いま」だから、見えるものがあるにちがいない。

『最後の晩餐』は、ミラノのサンタ・マリア・デッレ・グラツィエ教会にある。その向かいに、「レオナルド」と名のついたレストラン Orti di Leonardo があった。一説には、ミラノに住んでいたダ・ヴィンチが植物園を所有していて、このレストランのある場所にあったらしい。レストランの建物は、ホテルにもなっていた。Palazzo delle Stelline というホテルだ。今回の旅では、ミラノ滞在は、このホテルに泊まることにした。

回廊に囲まれているルネサンス風の建物だった。リフォームしてモダンになったが、回廊の柱は、一部が古めかしい石でできていて、数百年の風雪を感じる。もしかしてダ・ヴィンチは、この土地に住んでいたのかもしれない。さらには、この回廊の柱の石に、手で触れたことがあったかもしれない。ゆかりのレストランとホテル。ダ・ヴィンチをめぐる旅としては、なかなかのスタートだ。

このホテルの屋根越しに、教会の塔が見える。『最後の晩餐』があるサンタ・マリア・デッレ・グラツィエ教会だ。この教会の中にはいつでも入れる訳ではないが、中庭には早朝から入ることができた。ぼくは、朝食後の散歩に、小さく美しい教会の中庭を歩いてみた。『最後の晩餐』のある教会で朝の散歩。贅沢だ。

今回の旅の、1つの目的は『最後の晩餐』にまつわる謎を、確かめてみることだった。この絵は1999年に修復が完了し、まったく新しい鮮やかな色が甦った。修復により、汚れが消え、顔の表情も明瞭になった。そして「新説」が出た。キリストの横にいる人物、これまでヨハネといわれていた人物が、実は「女性」だった、というのだ。『ダ・ヴィンチ・コード』（ダン・ブラウン著／2003年）の中の一節である。

キリストは弟子の1人に裏切られ、十字架に磔になる。「この中の誰かが、私を裏切った」。そんな告白に、弟子たちが動揺する。『最後の晩餐』は、そういう場面を描いたものだ。これまでは、そう思われてきた。しかしこの絵に描かれているのは、そうではなく、キリストが、横にいる女性を「自分の愛人だ」と告白している場面だという。しかもその女性は、かつて娼婦であったが改心し、敬虔な信者となったマグダラのマリアだという。キリスト教の歴史がひっくりかえるような暗号が、この絵には秘められているというのだ。

まずはこの目で、その人物が本当に女性なのか、確かめたい。

そもそもダ・ヴィンチの絵には、性別不明の人物像が多い。『モナリザ』（1503〜16年頃）もそうだし、晩年の作品の『洗礼者ヨハネ』（1513〜16年頃）もそうだ。ヨハネ？これは『最後の晩餐』で、キリストの横にいる人物ではないか。それが女性なのか、それともヨハネなのか、まさにいま自分が確かめたいと考えている人物の絵なのだ。

そして予約した時間になり、いよいよ『最後の晩餐』の前に立つことになった。これまで何度か、このダ・ヴィンチの『最後の晩餐』は見てきた。しかしそれは一般の入場者としてで、人混みの、やや騒々しい中での鑑賞だった。しかし今回は、雑誌の取材ということで、貸し切り状態で絵の前に立つことができた。取材のコーディーネーター氏、カメラマン、そしてぼくだけ。あとはサンタ・マリア・デッレ・グラツィエ教会で入場者の管理をしているおばさんだけ。

以前に、この絵の前に立ったときは、絵は修復中で、絵の前には足場が組まれ、修復の作業がされていた。それはそれで貴重な機会で、修復されている現場の絵を見ると、絵というのは、やはりモノで、人の手で描かれたものであると実感できる。描き終わった絵の前に立つと、その絵は固定したものとして世界のはじまりからそこにあった、と感じられてしまうこともあるが、絵はいつだか誰かが描いたもので、またそれは後世の修復によって、姿を変えることもある。修復の現場での鑑賞は、それ以外と違った、絵画というもののリアルな存在感を味わうことができる。しかし、やはりそれは、絵画の鑑賞に最適な状況という訳ではない。何しろ絵の前の足場によって、またそこで修復している人の姿によって、絵は色々と遮られる。見たいと思っていた箇所が隠れていることもあるし、全体の構図も一望できない。

ともあれ、今回は、修復を終えた『最後の晩餐』の前に立てるという機会であった。しかも、修復を終えたばかりだから、絵の汚れは落とされ、生き生きとした色彩や描写を目にすることができるはずだ。期待にワクワクしながら、『最後の晩餐』がある部屋に入った。

そして『最後の晩餐』の前に立ち、じっとこの絵の人物たちを見つめた。修復のおかげで、色が明るい。しかし長い歳月で、細部は剝がれ落ち、服の皺や髪の毛は「ただの平面」になっている。きっと、この絵が描かれたときは、細部まで描きこまれ、それが絵ですらなく、1つの現実の光景にすら見えたかもしれない。何しろ、レオナルド・ダ・ヴィンチの手になる絵画なのだ。当時は、いったい絵はどんなふうに完成していたのだろうか。しかし、いま目の前にある絵は、細部が剝がれ落ち、単純な色の面になっているように見える。

ところが、これが美しい。細部は見えないが、その代わり、人物の輪郭や構図がくっきりしている。剝落が、絵画としての絶妙の効果を生みだした。ダ・ヴィンチが初めに意図した粗削りのデッサンが、長い年月を経て現れた、と思えた。名画は、剝がれても、汚れても、別の顔を見せてくれる。もし描き終えたばかりの『最後の晩餐』の前に立ったら、もしかして細部の描写の素晴らしさばかりに目を奪われて、それがどんな「構図」で描かれ、画面全体に、どんな統一感とダイナミックさが立ち現れていたのか、そういう「全体」が見えなかったかもしれない。しかしいまは、絵の細部が消えて、大まかな全体しか見えない故に、かえって、ダ・ヴィンチが構想したであろう画面の配置、構図が、くっきりと見える。こういう21世紀の『最後の晩餐』こそ、もしかして本当の『最後の晩餐』なのかもしれない。

見学には、特別の許可をもらって、絵の前で記念撮影もした。『最後の晩餐』修復の指導にあたったブレラ大学（ブレラ国立美術学院）マリア・テレーサ・フィオーリアさんの研究室のおかげだ。スタッフの説明では、この絵を未来永劫にわたって、いかに保存していくか、それが最重要の課題だということだった。そのために、この壁画の裏側には監視カメラが置かれ、離れた研究室から、しみ、ひび割れ、変色などの状態を常に確認できるという。『最後の晩餐』の舞台裏には、そんな驚くべきテクノロジーが隠れている。

また現場を管理しているおばさんは、30年以上もここで働いているという、『最後の晩餐』の守り神のような女性だ。彼女は饒舌だった。今回の修復は、新聞などで批判もされた。あまりに汚れを落としすぎて、原画がもっていた「重み」も消えてしまった、というのだ。「でも私は、修復後のほうが好きだわ」。帰り道、そう言いながら笑って、門を開けてくれた。

さて、『最後の晩餐』の問題の人物である。男か？　女か？　確かに修復前とは、だいぶ印象が違う。以前は、イカツイ男の顔をしていた。しかし、いまは、美少年か女性である。とはいえ断定もできない。いずれにしろ、ミラノで解答を得なくてもいい。ぼくはそう考えた。旅は、はじまったばかりなのだ。

今回の旅のもう1つの目的は、ダ・ヴィンチの絵画を全点鑑賞することである。旅の終わりには、きっと何かが見えてくることだろう。

## ダ・ヴィンチ青春の街、フィレンツェに移動

ミラノからフィレンツェに移動した。

ぼくはダ・ヴィンチ研究のため、これまで何度かイタリアには来ている。ヴィンチ村にある生家を訪れたこともあるし、フランスのアンボワーズにある終焉の館「クロ・リュセ」に行ったこともある。ダ・ヴィンチは、貧しい、小さな家で育ち、豪華なお城で没した。生家と、終焉の館のコントラストは、それを教えてくれる。フィレンツェは、そんなダ・ヴィンチが青春を過ごした街であり、イタリア・ルネサンスの中心地だ。

ダ・ヴィンチは生涯、妻をもたず、若い男の弟子と暮らしていた。そのせいで「同性愛者では？」という説もある。実際、彼は若い頃、同性愛疑惑の罪で投獄されそうになったこともある。そこにも、ダ・ヴィンチが性別不明の人物像を描いた鍵が潜んでいる。

フィレンツェのウフィツィ美術館に、ダ・ヴィンチの最初の絵がある。『キリストの洗礼』（1472～75年頃）と『受胎告知』（1472～75年頃）、それに未完の『東方三博士の礼拝』（1481～82年）だ。10代のダ・ヴィンチは、ルネサンス期の画家、アンドレア・デル・ヴェロッキオ（1435～88年）の工房で修業を積み、やがて師匠の絵の一部を描くことを許されるようになった。『キリストの洗礼』の左端の天使像がそうで、ダ・ヴィンチの最も初期の絵画だといわれる。この天使、美少年風に描かれ、少女の面影すら湛えている。性別不詳の中性的な人物像はこのときからあった。

天使、中性的。ダ・ヴィンチの絵を解くラインが、1つ見えてきた。そういえば、ウフィツィ美術館にある、もう1枚の絵『受胎告知』にも天使がいる。実はこの天使、ルーブル美術館にある晩年の『洗礼者ヨハネ』と同人物ではないか、という説もある。つまり、この天使を正面から描いたのが『洗礼者ヨハネ』ではないのか、というのだ。

ダ・ヴィンチの人物像（天使像）は、あちこちで「つながって」いる。旅を続けて、そのラインをさらに結んでいこう。先が楽しみだ。

## ミュンヘンへ。あちこちに「散る」ダ・ヴィンチ

ぼくはヴァチカン美術館に『聖ヒエロニムス』(1480~82年頃)を見に出かけ、ローマから夜行列車に乗って、ドイツのミュンヘンまで一気に北上した。

10時間以上を寝台車で過ごし、オーストリアを越え、ミュンヘンに着いた。涼しい。イタリアからドイツへは、遠い。かつて詩人ゲーテ(1749~1832年)が、イタリアに旅し、南の世界の光に驚いたさまを書いているが、その逆ルートでも、思うところは同じである。ヨーロッパは、広い。ドイツの空気の中で見るダ・ヴィンチは、どんな表情をしているか。

ぼくは早朝のミュンヘン駅から、歩いて、アルテ・ピナコテーク美術館に向かった。

これまでダ・ヴィンチのたいていの絵画は見てきた。ワシントンのナショナル・ギャラリーの『ジネブラ・デ・ベンチの肖像』(1478~80年頃)、ロンドン・ナショナル・ギャラリーの『岩窟の聖母』(1491~1508年頃)、『聖アンナと聖母子』(1502~16年頃)のための画稿(1499~1500年)。それにポーランドのクラクフにある『白貂を抱く貴

婦人』（１４９０年頃）は、横浜美術館に「来日」したときに見た。「神の手」が描いた、ともいえる絶品ばかりである。

しかし、そんなぼくがこれまで見ていないダ・ヴィンチの絵がミュンヘンにある。『カーネーションの聖母』がそれで、１４７５年から76年にかけて描かれたと推定されている。ダ・ヴィンチ20代前半の作品だ。

しかし、これは「ダ・ヴィンチ作？」とクエスチョンマークがついてもいる。ダ・ヴィンチの絵画は、作品数が確定していない。作者が曖昧な絵があるからだ。なぜか？　昔の絵なので、記録が少ない、ということもある。しかし、それ以上にダ・ヴィンチの「性格」も関係している。彼は仕事が遅く、作品をなかなか仕上げなかった。注文主は、早く完成するように迫る。そこで弟子たちが、残った部分を描き、納品した。だから、ダ・ヴィンチの多くの絵は、彼と弟子の筆が共に入っている。作者がダ・ヴィンチか否か、曖昧なのだ。

『カーネーションの聖母』も、そんな1つだ。この絵は、聖母の首が「硬く」不自然だ。幼児の肌も、象の皮みたいである。しかし部分的には、驚くべき描写もある。聖母の左手、それに膝の黄色い布など、ほとんど奇跡といって良い。これをダ・ヴィンチ以外の誰が描けるか。

ダ・ヴィンチの絵画作品は、世界の美術館に散っているが、同時に「ダ・ヴィンチ？」の絵の中のあちこちにも、彼の手は散っている。1枚の絵の中にダ・ヴィンチを探す。これぞ本物の絵画鑑賞だ。まだ見つかっていないダ・ヴィンチの絵を探すのではない。ダ・ヴィンチ作と言われる絵の中に、ダ・ヴィンチが描いた部分を探すのだ。

例えばミラノのアンブロジアーナ図書館・絵画館にあるダ・ヴィンチ？の『音楽家の肖像』（1490年頃）。全体的には描き込みが浅く、服も、楽譜を読む指の描写も下手だ。しかし、鼻のあたり、その光と影の扱いなど、まったく別人の絵である。こんなところに天才の手は隠れていたのか。その出会いに嬉しくなる。

## ロシア、エルミタージュで2枚の聖母に会う

さて、ぼくが未だ見ていない絵画作品、つまり『ダ・ヴィンチ絵画全点鑑賞』コンプリートへの、最後の絵がロシアのエルミタージュ美術館に2点ある。

どちらも聖母子を描いたもので、初期の『ブノワの聖母』（1478〜80年頃）と、服の赤や青が鮮やかな『リッタの聖母』（1490年頃）だ。

サンクト・ペテルブルクのネフスキー大通りは、ドストエフスキーが「最も美しい通り」と評したところで、装飾が凝った19世紀の建物が続いている。エルミタージュ美術館は、その大通りの先にある。ぼくはこれまで世界の美術館をずいぶん見てきた。しかし建物そのものが絢爛としてこれほど美しい美術館に行ったことはなかった。「宮殿」とはこういうものかと実感した。

ダ・ヴィンチの2枚の聖母画は、美術館の同じ部屋に並んでいた。金の額縁の中にある絵は、いかにもエルミタージュっぽい豪華な演出の展示だ。

この2枚の絵の中の聖母、どちらも笑っている聖母が描かれているが、その「笑い方」に違いがある。『ブノワの聖母』の笑いは、赤ちゃんがいたずらをして、お母さんが「まあ、この子ったら」と嬉しそうにしている笑いである。一方の『リッタの聖母』は、授乳している場面でもあるからか、もっと「深い」ところからやってくる笑いだ。生命の深遠に触れたときに、ふっとわいてくる微笑、といえばいいのだろうか。

ロシアのエルミタージュ美術館。ともかく、ここでダ・ヴィンチ絵画全点鑑賞は完結した。しかしサンクト・ペテルブルクの町で、残されたもう1つの「宿題」があった。書店に行って、ロシア語版の『ダ・ヴィンチ・コード』を買うのだ。これまでイタリア、ドイツ、フランス、それに飛行機の乗り継ぎで立ち寄ったフィンランドの書店で『ダ・ヴィンチ・コード』を買った。どの国でも、ベストセラー1位だった。ダ・ヴィンチ絵画全点鑑賞の旅をしているとき、世界ではダ・ヴィンチの本が大ブームになっていた。ぼくは、まるで旅の入国スタンプを集めるように、その国の言葉に訳された『ダ・ヴィンチ・コード』を手に入れた。

サンクト・ペテルブルクの本屋でも『ダ・ヴィンチ・コード』を探した。しかしロシア語の読めない自分には、どれが『ダ・ヴィンチ・コード』かもわからない。店員に聞くと、英語版を渡された。確かに英語でしか質問をできない外国人が、ロシア語の本を読むはずはない。でも「お土産なので」と説明し、ロシア語版をなんとか入手した。

目的は、達成した。ダ・ヴィンチ絵画全点鑑賞は完結したのだ。

## ルーブルで、深淵を覗く微笑を前にして

それから、帰国前にパリのルーブル美術館にも行った。『モナリザ』『岩窟の聖母』『洗礼者ヨハネ』など代表作はここにある。

『モナリザ』は、あいかわらずスーパースターのようで、人だかりができていた。

それから、ぼくはパリ滞在中に、パリの北東、ランスに足を延ばした。ランスはシャンパーニュ地方の町で、この地方で作られたもの以外はシャンパンとは呼ばない、と言われる。しかし酒を飲みに行ったのではない。この町にゴシックの大聖堂があり、その壁に「微笑みの天使」と呼ばれる彫刻がある。それを見に行ったのだ。中世の時代、神も人も、絵や彫刻の中では無表情だった。しかしゴシック末期、ルネサンスのはじまりを告げるかのように、ランス大聖堂（ランス・ノートルダム大聖堂）の天使が「微笑み」を浮かべた。ぼくは、それがダ・ヴィンチの絵画の微笑みにも連なっていくと、考える。

そういえば、ミラノで見た『最後の晩餐』で、キリストの横にいる人物、ヨハネともマグダラのマリアともいわれるあの人物も、かすかに微笑んでいる。

しかもその笑いは、『リッタの聖母』や『モナリザ』に見られるような、宇宙の深遠を覗いたような笑いと似ている。「つながって」いる。その微笑のはじまりが『最後の晩餐』だった。

そして、これら微笑む人物は、その多くが性別不詳だ。

『最後の晩餐』から、『モナリザ』『洗礼者ヨハネ』と連なるラインの笑いには、性を超えたもう1つの深遠が絡み合っている。ダ・ヴィンチは後半生、ずっと「そこ」を見ていた。

あの微笑する顔の目には、何が映っているのか？

40代半ばの壮年の域に達したダ・ヴィンチが垣間見た、人生の謎、世界の深遠。謎は、ミラノにある『最後の晩餐』に始まり、『聖アンナと聖母子』などルーブル美術館の晩年の作品へと、深められていく。

しかし、ダ・ヴィンチをめぐる旅に終わりなどない。旅は、これからも続く。

人生、この先が面白いよ。それがダ・ヴィンチから、45歳の自分へのメッセージだった。

## ダ・ヴィンチの生涯

ここでダ・ヴィンチの生涯をまとめてみよう。レオナルド・ダ・ヴィンチ、LEONARDO DA VINCI は、１４５２年４月15日、フィレンツェ近郊のヴィンチ村で生まれた。そして１５１９年５月２日、フランスのクロ・リュセで亡くなった。２０１９年は、ダ・ヴィンチ没後ちょうど５００年になる。

没後５００年というのは、偉人の存在に、１つの変化を及ぼす区切りの時間なのではないかとも思う。たとえば釈迦だ。

釈迦は、没後しばらくは、その姿を造形されることなく、車輪や足跡などの造形でその存在が暗示されていた。それは、まだ500年くらいは、釈迦という人間が実在していたというリアリティが生きていて、その存在感が車輪や足跡という「象徴」の背後を支えていたのだろう。そして釈迦の没後、500年ほど経って、仏像が誕生した。インド西部、いまのパキスタンのガンダーラ、そしてインド中部マトゥラーで、同時多発的に仏像が作られるようになった。仏像には、阿弥陀如来像、菩薩像などいろいろあるが、釈迦の肖像である釈迦如来像も含まれる。いわば500年の時間を経て、初めて釈迦の肖像が登場したことになる。偉人の存在感は、没後500年で変容するのかもしれない。

では、没後500年が経ったレオナルド・ダ・ヴィンチは、どんな新しい人物像になるのだろう？　それはこれからのことではあるが、このダ・ヴィンチ没後500年のタイミングで、ダ・ヴィンチの生涯と作品に目をむけて、その世界を再確認することには意味があると思われる。この本は、いわばそんなダ・ヴィンチ像変容の現場に立って、そこから見えてくる新しいレオナルド・ダ・ヴィンチイメージを構築しようと、節目の年に書いてみた本となる訳だ。

ここでは、レオナルド・ダ・ヴィンチの生涯を簡単になぞってみたい。ダ・ヴィンチは、いったいどんな生涯を送ったのか？

1452年、ダ・ヴィンチが生まれたイタリアは、ルネサンスという中世から近代への曲がり角の時代だった。なのでダ・ヴィンチの業績は、その後の近代文明の礎を築いたともいえるが、曲がり角の時代ゆえに、その前の中世の時代を色濃く継承したものでもある。ダ・ヴィンチは無宗教の科学的な思想のもち主と思われているが、絵画における代表作には『受胎告知』、『最後の晩餐』、そしてたくさんの聖母子像などキリスト教を主題にしたものが多い。またダ・ヴィンチの根本思想は、人体という小宇宙（＝ミクロコスモス）と、大宇宙（＝マクロコスモス）の照応という世界観が根本にあり、それは中世の世界観に反旗を翻すものではなく、かえって中世の思想を継承するものでもあった。つまりダ・ヴィンチの中には、中世も近代も「ぜんぶ」あるのだ。

## 師匠に筆を折らせたダ・ヴィンチの画力

そんなルネサンスという曲がり角の時代に生を受けたレオナルド・ダ・ヴィンチは、自然豊かなフィレンツェ郊外で育ち、10代の半ばに、イタリアのみならず、その頃の世界の経済・文化の中心地とも言えるフィレンツェに出て、ヴェロッキオの工房で弟子となり、そのキャリアをスタートさせた。

ダ・ヴィンチの師アンドレア・デル・ヴェロッキオは、当時、この地方でいちばんの工房を構えていた。絵画はもちろん、金工制作、彫刻家としての仕事も受け、また数学、工学、建築などにも優れた能力を発揮していた。若きダ・ヴィンチは、この師ヴェロッキオから多くを吸収し、やがて師を超えるような才覚を現すようになる。ヴェロッキオの絵画の仕事『キリストの洗礼』で、ダ・ヴィンチは画面の隅にいる天使を描いたが、それがヴェロッキオが描いた中央のキリストよりも優れた描写力ということで、以後、ヴェロッキオは絵を描くのをやめた（彫刻や金工の仕事は続けた）とのエピソードは有名だ。

ダ・ヴィンチが27歳のとき、絞首刑を目撃し描いたスケッチ

　ダ・ヴィンチは、フィレンツェでの都会生活の中で、さまざまな人間模様を目にした。24歳のときには男色行為容疑で告訴され裁判にかけられている。また27歳のときには、パッツィ家陰謀事件に際

して絞首刑を目撃し、それをスケッチしたりもしている。

## ミラノを去りフィレンツェなどを移動、最後はフランスへ

ダ・ヴィンチは30歳になった1482年、フィレンツェを離れ、ミラノに移住した。そこでダ・ヴィンチは、ミラノ宮廷で生きていくために、自薦状を書く。内容は、自分は軍事技師としての能力がある、ということが滔々と語られ、最後に平和なときには絵も描けます、と付け足しのように書いている。何が仕事になるのか、時代状況、社会状況を読んでのゆえなのだろうが、それにしてもダ・ヴィンチは画家として生きることよりも、軍事工学などで宮廷に取り入ろうとした。ミラノ以降のダ・ヴィンチの特徴の1つに「手稿」を書き始めた、ということがあるが、その内容は、やはり工学、建築、解剖学などで、絵画や芸術のことばかり語っているのではない。

ミラノ時代のダ・ヴィンチは、もちろん画家としての仕事にも取り組んだ。『岩窟の聖母』、『白貂を抱く貴婦人』、そして『最後の晩餐』など、円熟した技巧による傑作も多く生み出した。また宮廷のイベントの演出なども手掛けたというが、後世にその記録は残せないので、どういうものだったのか想像をするしかない。

50歳も近づいた1499年、ダ・ヴィンチはミラノを去る。パトロンだったルドヴィコが失脚し、フランスのミラノ侵攻から逃れるためだった。ミラノでは20年近い歳月を過ごしたが、以後は1つの土地に長く住むことはなく、マントヴァ、ヴェネチアを経てフィレンツェへ、再びミラノに戻り、それからローマへ、と放浪のような移動を続け、最後の数年はフランス王フランソワ1世の招きでフランスに住み、フランスで没した。

いまフランスのルーブル美術館には、ダ・ヴィンチが最後まで手元に置いていた絵画、『モナリザ』、『聖アンナと聖母子』、『洗礼者ヨハネ』があるが、それらがフランスの美術館にあるのは、そういう経緯によるものだ。

自分はかつて、イタリアにあるダ・ヴィンチの生家と、フランスにあるダ・ヴィンチが没した城を訪ねたことがある。フィレンツェ郊外の山の中の小さな家で人生をスタートさせたダ・ヴィンチは、腕一本でルネサンスで栄えたイタリア社会を生き抜き、皆から讃えられ、最後はフランス王の招きを得て、大きく立派な城で生涯を終えた。たしかに成功した人生だ。しかも、その人生の成功は、ダ・ヴィンチ自身が味わった、その場限りのものではなく、時と共により称賛は高まり、没後500年目には、フランス、イギリス、イタリア、アメリカ、そして日本でも、様々な展示やイベントが開かれた。

人間は、地球に誕生した生命が進化して、地質学的な時間では、ごく最近、最後に現れた生き物だ。その特徴は、大きな脳をもち、器用な手をもち、そこから芸術などというものを生み出した。そういう人間というものの能力の可能性を極め、人間には何ができるのか？　を体現したのがダ・ヴィンチだったといえる。自分は、そんなダ・ヴィンチの世界の本質に迫りたいとずっと願い、ダ・ヴィンチへの旅を、繰り返したのである。

# 第2章

## 2017年、フィレンツェ、ミラノ
## ……ダ・ヴィンチ若き日の絵画

## I. フィレンツェ

### 美術を学ぶ息子との旅

フィレンツェ駅に着いたのは、夜9時を過ぎた頃だった。

その日は、ヴェネチアでヴェネチア・ビエンナーレなど現代美術の展覧会を見て回った。夕方列車に乗って3時間、夜のイタリア半島を南下した列車は、フィレンツェ・サンタ・マリア・ノヴェッラ駅に着いた。息子の琳太郎との二人旅だった。息子は、美術・映像を専攻している大学院生で、親子で興味の対象が同じなので、二人旅をしているのだ。日本からミラノ・マルペンサ空港に着いたのが一昨日で、パドヴァでジョット（1266頃～1337年頃）の壁画を見てからヴェネチアに行った。

息子は、ヨーロッパは初めてで、そこにどんな「光」があるだろうと、まず興味をもっているようだった。ミラノからパドヴァへの車中は曇り空の下で、自宅の神奈川とあまり変わらない光だな、と拍子抜けしたようだった。しかし真っ平らな平野の広がりは新鮮だったようで、遠近法という絵画の技法がこういう空間で磨かれたのは納得がいく、といたく感心していた。翌日のヴェネチアは、よく晴れた明るい日で、海がキラキラ光り眩しく、そんな太陽の輝きは生まれて初めて見たと感嘆していた。そんなふうにヴェネチアで昼を過ごし、夕方、フィレンツェ行きの列車に乗った。

これがイタリア2日目の夜になる。フィレンツェでは、安宿を予約しておいた。自分の旅のスタイルは、ホテルの予算をだいたい決めたら、1日ごとに、安宿と、ちょっと贅沢なホテルを交互に泊まる。それで平均の額が予算に収まるようにする。凸凹がある旅の方が好きなのだ。いつも同じような宿に泊まっていると旅のメリハリがつかないが、安宿の後にちょっと贅沢なホテルに足を踏み入れると、そのギャップに、実際以上に豪華な空間に思える。今回は、1つの町に1、2泊して移動するというものだったので、町ごとにホテルのランクを変えて、その晩のフィレンツェは安宿の番だった。

夜遅くのフィレンツェ到着で、人影は少なかった。地図を確認しながら宿に向かって、人気のない暗い通りを歩いた。するとどこからか、男の影が現れた。自信なさそうな、おどおどした歩き方をする男だった。先方は1人、こちらは2人でもあるので、強盗？　という恐怖はなかった。男が話しかけてくる。これからローマに行きたいのだが、お金がなくて困っている。15ユーロもらえないか、という。しかしこちらも、異国の町に夜に着いたばかりで、心に余裕がない。他人様の心配よりも、まずは自分たちが、早く宿に着くことだ。断ると、男は静かに去っていった。悪い奴ではなく、本当にローマに行きたくて行けなかったのかもしれない。以前、南フランスを旅していて、こんなふうに夜に駅に着いて、強盗に襲われたことがあった。マルセイユの駅裏で、若者数人が「ハッロー」と言いながら、首に腕を回してきた。そういう経験もしたので、異国の夜には警戒心が強い。

## 美術館を追えばダ・ヴィンチの生涯の移動がわかる

しばらく歩き、宿の建物を探し当てた。ベルを押すと、おばさんが出てきた。夫婦で経営しているような小さなホテルだった。部屋の鍵を渡され、料金を払い、明朝は鍵をボックスに入れて、そのまま出かけていい、と言われた。こちらも、フィレンツェは、この夜に着いて、翌日の夕方にはミラノ行きの列車に乗る。1日だけの滞在で、夜は、寝る場所があれば、それだけで十分だ。宿の人には、そのとき顔を合わせただけで、すぐにベッドに横になり、翌朝、宿を出た。宿の人に会ったのは、チェックインをしたときだけだった。

フィレンツェでは1日過ごすだけだったが、わざわざフィレンツェまで来たので、時間が許す限り、たくさんの美術館・博物館に行こうと計画していた。いちばんの目的はウフィツィ美術館で、ここだけは確実に入れるようにと、日本でチケットを予約しておいた。

フィレンツェに限らないが、ヨーロッパの美術館に入場するには、長蛇の列に並ばないといけないことが多い。前にフィレンツェに来たときは、ウフィツィ美術館に入るのに、2時間待たされた。たった1日の限られた時間の中で、並んで待つだけでは時間の損失だ。そこでウフィツィ美術館は午後の3時のチケットを取っておいた。ミラノ行きの列車が19時に出るので、美術館で2、3時間過ごし、夕食を取るにはちょうど良い時間だった。

朝、ホテルを出て、午後3時までは自由な時間だった。まずはアカデミア美術館でミケランジェロの彫刻を見ることにした。この美術館も、入るのに長い列に並ばないといけないが、開館前に行けば、すぐに入れるだろうと予約はしないでいた。それでも20分ほど並ばされたが、比較的すぐに入れた。

自分はこれまで、レオナルド・ダ・ヴィンチをめぐる旅と称して、何度かイタリアを旅したことがある。ダ・ヴィンチの絵画が展示してある美術館と、ダ・ヴィンチの生涯はだいたい重なる。レオナルド・ダ・ヴィンチは1452年4月15日に、フィレンツェ近郊のヴィンチ村で生まれた。ヴィンチ村出身のレオナルドだから、レオナルド・ダ・ヴィンチという訳だが、その名前を短くしたとき、「レオナルド」というのと「ダ・ヴィンチ」と、2つの言い方がある。このダ・ヴィンチというのは、たとえば「森の石松」という男がいたが、ダ・ヴィンチは「森の」に該当し、言い方としては正しくない。短く言うならレオナルドであるべきだ。しかし言葉としてダ・ヴィンチは定着していて違和感はないので、ここでも短く言うときはダ・ヴィンチという言い方も使わせてもらうことにする。ともあれ、レオナルド・ダ・ヴィンチは1452年の4月15日に、フィレンツェ近郊のヴィンチ村に生まれた。

そして10代の半ば頃にフィレンツェに出て、美術家のヴェロッキオの工房に弟子入りする。そして30歳のときにミラノに移る。レオナルド・ダ・ヴィンチのフィレンツェ時代というのは、いわば青春期の若者であるダ・ヴィンチが過ごした町なのだが、この町の美術館であるウフィッツィ美術館に、その若き日のダ・ヴィンチ絵画がいまも残され展示されているという訳だ。ミラノに移ったダ・ヴィンチは、その地で『最後の晩餐』や『岩窟の聖母』などを描き、最期はフランスの地でその生涯を終える。『モナリザ』は、ダ・ヴィンチが亡くなるまで彼の手元に置かれ、加筆が続けられたが、その『モナリザ』をはじめ、『聖アンナと聖母子』『洗礼者ヨハネ』など晩年に至る絵画が展示されているのが、フランスのパリにあるルーブル美術館だ。つまり、フィレンツェ、ミラノ、パリの三都をめぐるのが、レオナルド・ダ・ヴィンチ巡礼の旅のルートの基本となる。

## ダ・ヴィンチの背後に寄り添う影

自分は、これまでそんなダ・ヴィンチ巡礼の旅を何度か繰り返してきた。ダ・ヴィンチの生涯と芸術を巡礼する旅なのだから、当然、旅の目的はダ・ヴィンチなのだが、そういう旅をしていると、ダ・ヴィンチの背後に影のように寄り添う大きな存在がある。ダ・ヴィンチだけを見ようとしても、どうしても目に入り、しかも目に入ると心奪われる。それがミケランジェロ（1475〜1564年）なのだが、この息子との二人旅のフィレンツェでも、なぜかまたミケランジェロの彫刻があるアカデミア美術館に行くことから、1日がはじまった。

アカデミア美術館の目玉作品は、なんと言ってもミケランジェロの『ダヴィデ』（1504年）だろう。高さ4メートルを超える巨大な彫刻（つまり人体の2倍以上！）は、その圧倒的な大きさだけでなく、人物の描写力、力強さ、優雅さ、どれをとっても天才の登場を万人に納得させるものだった。これだけ大きな彫刻だから、それを見る人は像を「見上げる」ことになる。そのせいで、水平の高さから撮った写真などを見ると、頭部と腕が大きく、アンバランスに見えるが、それを下から見上げると、遠くのものは小さく、近くのものは大きく見える遠近法の効果で、ちょうどバランスがよく見える。この世にある石

ミケランジェロ・ブオナローティ『ダヴィデ』1504年／アカデミア美術館（フィレンツェ）

の塊であるが、まるで別次元の空間にあるような、不思議な存在感を放つ。

しかしアカデミア美術館にある作品で、いつも自分の目と心をいちばんに奪う、（圧倒的な）魅力ある作品は、4体の『奴隷（囚われ人）』（16世紀）だ。これはユリウス2世の墓を飾る像として制作されたが、未完成のままで終わった。岩の中から、彫刻家の手によっていま彫り出されているような、彫刻が誕生する瞬間に立ち会っているような気持ちになる石の塊だ。しかも、ミケランジェロの制作方法によるのだが、彫られた人体のある部分は、完成していると言っていいほどに、筋肉のひと山ひと山も細かく描写され、他の部分は岩の中に埋もれてもいる。そのため、単なる未完成なのではなくて、完成と未完成の合間のようなバランスがある。つまり、美術としては仕上がっていなくても「完成している」訳なのだが、ともあれ、これこそ彫刻（の本質）だと思わせる作品だ。重い荷物を背負って、その重圧に負けそうになりながら

ミケランジェロ・ブオナローティ　『奴隷（囚われ人）』16世紀
アカデミア美術館（フィレンツェ）

も、生きることにもがいている。そんな人間像も心を打つ。

息子に、これを見せたくて、フィレンツェでは朝一番に、このアカデミア美術館に行った。息子は、ミケランジェロの『奴隷』像を前に、鉛筆デッサンをはじめた。美大受験のときに、石膏デッサンをたくさん描いていたが、そういう模造品の石膏像ではなく、細部の凹凸に至るまで彫刻の命が溢れている、本物のミケランジェロに、何を学んでいるのだろうかと、その後ろ姿を眺めていた。

## ミケランジェロが表現した宇宙

アカデミア美術館を出て、午後のウフィ

ツィ美術館の予約時間まで、まだ余裕があったので、他にもいくつか行った。次は、サン・ロレンツォ教会だ。

ここのメディチ家礼拝堂に、やはりミケランジェロの彫刻群がある。アカデミア美術館の墓廟と同じく、こちらも墓の装飾として作られたものだ。部屋の石の廟に彫刻が配され

(上)ミケランジェロ・ブオナローティ
『ウルビーノ公ロレンツォ・デ・メディチの墓碑』
(下)同『ヌムール公ジュリアーノ・デ・メディチの墓碑』
サンロレンツォ教会(フィレンツェ)

ている。この建築構造自体もミケランジェロの設計だ。つまり、この空間の構造の中に、ミケランジェロの世界観が込められているということでもある。

彫刻として白眉なのは、向かい合って置かれた2つの墓碑、『ウルビーノ公ロレンツォ・デ・メディチの墓碑』（1524～31年）と、『ヌムール公ジュリアーノ・デ・メディチの墓碑』（1525～34年）だ。それぞれ、ロレンツォとジュリアーノの肖像の下に、横たわる男女の裸体像がある。ロレンツォの方は『曙』と『夕暮れ』、ジュリアーノの方は『昼』と『夜』というタイトルが付けられている。夜明け、昼、夕方、そして夜である。つまりこれらの彫刻は、1日の時間の流れを表現している。太陽が昇り、東から西の空へと移動し、そして消えていく（夜になる）。これはジュリアーノやロレンツォという偉人たちを称え、回想し、悼むための装置としての墓廟だが、それが1日という時間を表現する構造で造形されている。人の一生には、どれだけの1日があったのか。年齢×365日の1日が繰り返された訳だが、そういう1日をベースに、その人生が想われる。また、1日というのは天体のレベルで考えれば、太陽に対して、地球が自転する時間である。その1日を単位として、地球は太陽の周りを公転し、その地球の周りには月が回っている。さらに回転ということを暗示するように、それぞれの像は半円形の台の上に、滑り落ちそうに載っている。もちろん、ガリレオ・ガリレイ（1564〜1642年）よりも以前、地動説が認識されていた訳ではないが、ともあれこのメディチ家礼拝堂の墓廟の構造や造形には、そういう宇宙的な世界が感じられる。まさにミケランジェロの芸術を代表する作品だ。

こんなふうに、レオナルド・ダ・ヴィンチの絵画をめぐる旅をしようとしても、その近くにある美術館や聖堂にふと足を運ぶと、そこにミケランジェロの芸術が屹立している。

## ルネサンス期に現れた心の内面の表現

アカデミア美術館、そしてメディチ家礼拝堂とめぐったが、まだ正午にもなっていなかった。さらに、いくつか見学する時間がある。息子に、「ウフィツィ美術館の入り口で3時に合流すれば良いから」と自由行動を提案したら「お父さんは、どこに見学に行く？」と言う。しばらく考えて、マサッチオ（1401〜28年）の『楽園追放』（1425〜27年頃）でも見に行こうかな、と言うと、息子も一緒に行くことになった。『楽園追放』は、フィレンツェ市街の、アルノ川の対岸にあるサンタ・マリア・デル・カルミネ教会の中の、ブランカッチ礼拝堂の内部に描かれた壁画だ。ここにはマソリーノ（1383〜1440年頃）の『貢の銭』（1420年代）のフレスコ画があり、その隅に描かれているのがマサッチオの『楽園追放』だ。
マソリーノの壁画は、遠近法を使った空間表現がされており、また
マサッチオの『楽園追放』は、禁断の果実を食べたために楽園を追放
されてしまうアダムとイブの絶望的な姿が描かれている。こういう、
心の内面を描写する手法は、それ以前の中世の絵画には見られなかっ

(上)サンタ・マリア・デル・カルミネ教会
ブランカッチ礼拝堂の壁画(フィレンツェ)
(下)マサッチオ『楽園追放』1425〜27年頃
同壁画内

たものであり（中世は、そういう個人の内面などというものを表出するのを控えるのが良しとされた）、まさにマソリーノの遠近法を駆使した絵画とともに、初期のルネサンス美術を代表するものだ。

午後1時だった。遅い昼食だが、近所のスーパーで弁当みたいなものを買った。さてどこで食べようかと辺りを見回したが、それらしい場所もない。そういえば、とさっきのサンタ・マリア・デル・カルミネ教会の入り口が、石の広い階段になっていて、あそこなら座れると、息子と2人で戻った。8月の真夏の昼だったが、石段のところはちょうど影になっていて、腰を下ろすとかたい石がひんやりしている。自分は短いパスタをフォークで刺して食べた。前の広場に、幼い女の子を連れたお母さんがいて、自分たちと少し離れたところに腰を下ろしている。女の子は石畳の上を歓声をあげながら走り回っている。静かだ。幼女の高い声も、その静かさを浮き彫りにする。ピンク色の服で、頭に白い布を被った、イタリア人ではない移民と思われる女性の家族もいた。もちろん、自分たちもその風景の一部である。石段に腰を下ろして何かを食べている東洋人の男2人。しかし、それは侘しい時間というより、旅をしている！という実感に包まれた、ちょっと幸せな瞬間でもあった。

フィレンツェ、ブランカッチ礼拝堂前にて(フィレンツェ)

## 解剖模型の蠟人形がもつ宇宙観

さて、まだ時間がある。しかし遠くに行く余裕はない。近くに、ラ・スペコラという科学博物館がある。若い女性を解剖した姿の蠟人形やいろいろな生き物の剝製がある。朝から美術作品ばかり見てきた。そしてこれからまた、ウフィツィ美術館に美術作品を見にいく。人が描いた、あるいは造形した美術に、やや飽きていた。気分転換を兼ねて、科学博物館で違った空気に触れるのも悪くない。蠟人形は、人工的な造形物ではあるが、美術品とはまた違う。それに生物の標本を見るのは、この1日の中で新鮮な時間に思えた。石畳の細い道を歩きながら、ラ・スペコラ博物館の入り口をはいった。

ラ・スペコラ博物館は、石造りの古い建物だが、科学博物館である。スペコラというのは「天文台」という意味で、いわば創立当初は最先端の科学の館だったのだろう。いまでは、やや古き良き時代のノスタルジー溢れる博物学の標本のコレクションが目に付くが。……館内に入ると、岩石の標本、鳥の剥製、エイなどの海の魚の標本、それにヒトデなど奇妙な形態の生き物たちがたくさん展示されている。ここのいまの館長は、昆虫が専門の

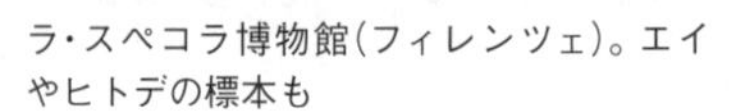

ラ・スペコラ博物館(フィレンツェ)。エイやヒトデの標本も

ようで、虫好きとしても知られる養老孟司先生（1937年〜）から、その館長と長いこと虫談議を楽しんだ、というような話を聞いたこともあった。

しかし、何と言っても、ここの博物館の第一の目玉は、アナトミカル・ヴィーナスと呼ばれる、若い女性の解剖模型の蠟人形だ。魚や鳥や虫や岩石のある博物館は、全世界どこにでもあるが、恍惚状態のような体をひねったポーズの若い女性の像が、しかも内臓がむき出しになっているという、そのコントラストは、他ではあまり見られない展示物だ。もちろん解剖模型は、どこの博物館にもある。また女性像というのもどこにでもある。しかしその2つが組み合わさって、しかもかなり精巧な技術で作り込んである。それは近・現代の目から見たら「科学」の枠をはみ出すものであるし、しかし美術の面から見ても、やはり異質なモチーフだ。あくまで内臓の形態や構造を示すために、開かれた胸や腹の奥にある造形物は解剖学を語っている。

ラ・スペコラ博物館のアナトミカル・ヴィーナス像は、ミケランジェロの彫刻や、マサッチオのイブ像を見たばかりの自分の目には、人体という世界の広がりと奥行き、それに人体造形というものの幅の広さを改めて感じさせてくれた。

博物館を出るとき、ミュージアムショップにウンチの化石が売っていた。人の指ほどの

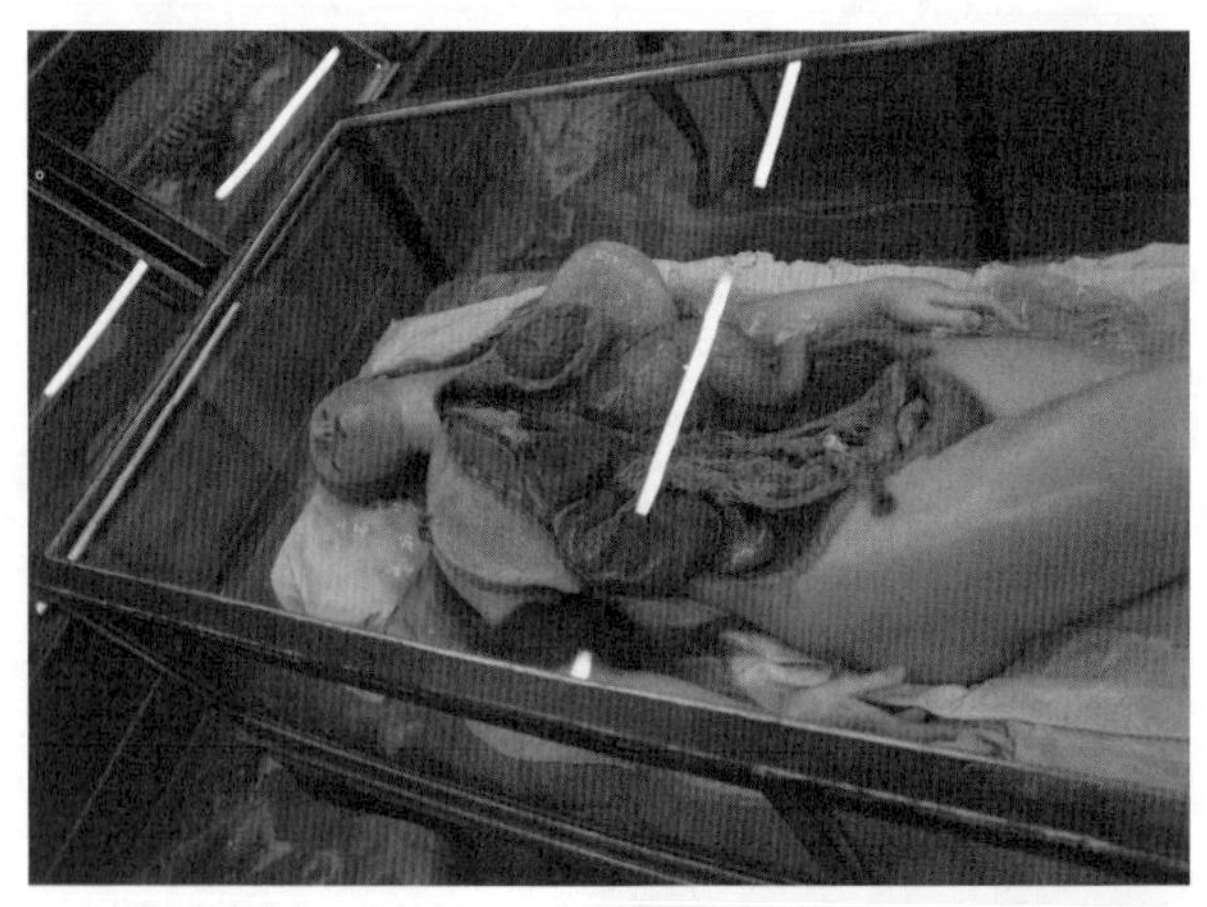

ラ・スペコラ博物館所蔵のアナトミカル・ヴィーナス像、18世紀

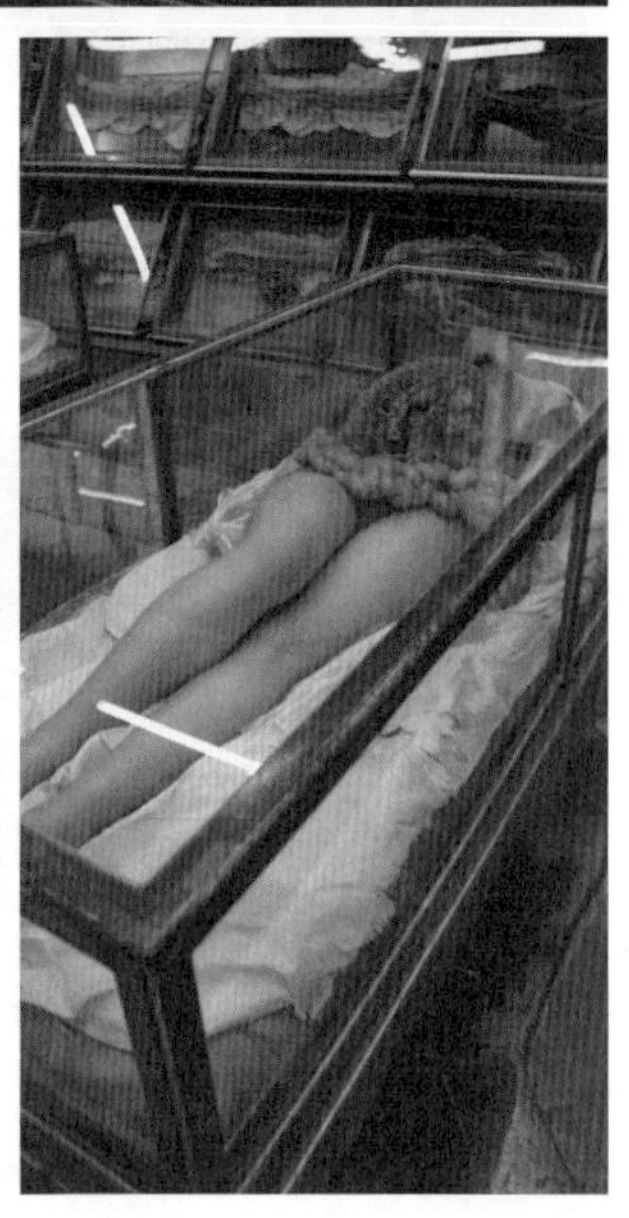

見入る同博物館での著者

長さと太さのウンチが、とぐろを巻いている。哺乳類の小動物のウンチと思われる。化石になっているからには、ずいぶん古いものだ。石だから、ウンチとは言っても臭くない。しかも小さいから、荷物としてもかさばらない。これも生命が作る一形態だ。このウンチの化石を鞄の奥に秘めて旅を続けるのも悪くない。30ユーロほどで、さほど高くもないので、自分への土産にと買った。息子は、レジでウンチの化石の代金を払っている父を、やや困りながら見ているように思えた。

ラ・スペコラ博物館のミュージアムショップでウンチの化石を著者は購入

## ウフィツィ美術館でダ・ヴィンチ若き日の3作品を見る

そして、いよいよレオナルド・ダ・ヴィンチの若き日の絵画3点がある、ウフィツィ美術館の予約した時間になった。たった1日のフィレンツェ滞在だが、ここまでずいぶんいろいろなものを見た。流石にフィレンツェは美の宝庫だ。

しかしレオナルド・ダ・ヴィンチをめぐる

旅の本番は、ここからだ。ウフィツィ美術館の入り口前には、LEONARDOと書かれた大きな垂れ幕が下がっていた。この美術館で所蔵する、ダ・ヴィンチの『東方三博士の礼拝』の修復作業が終わり、そのお披露目の展示がされているというのだ。

ウフィツィ美術館の入り口には、長い列がある。たぶん、最後尾の人は美術館に入るのに2時間は待つだろう。こちらは今日は、これで5ヶ所目の見学で、ずいぶん効率良く回れた。混みそうなところは朝イチで行く、またいちばん混むところ（＝ウフィツィ美術館）は日本で時間まで予約してチケットを取る。それ以外の、並ばなくて入れそうなところは、その日の興味や疲れから、その場で行き先を考える。アカデミア美術館、メディチ家礼拝堂、ブランカッチ礼拝堂、ラ・スペコラ博物館、そして今日の最後のウフィツィ美術館の入り口まで辿り着き、こちらは予約者専用の別のルートからすんなりと入館した。あとは、ミラノ行きの夜の

2017年、ウフィツィ美術館（フィレンツェ）。修復なった『東方三博士の礼拝』の展示を告知する垂れ幕

列車の出発時間だけを気にして最後の美術館の見学を堪能すれば良い。フィレンツェという町は、東京や大阪とちがって、これから行くミラノやパリともちがって、すべて徒歩で移動できる距離にある。だから美術館から駅までも歩いていくので、途中の交通渋滞で予定以上に時間がかかる、ということもない。ともあれ、ウフィツィ美術館の館内に入り、長い階段を上って、展示室のある3階まで行った。

## イタリア・ルネサンスの目玉、ボッティチェリの『春』と『ヴィーナスの誕生』

ウフィツィ美術館は、イタリア・ルネサンスの中心地だったフィレンツェにあるだけあって、ヨーロッパの文化の中でルネサンス美術というのが、どのような展開をしたのか、それを実際の作品で見ることができる。チマブーエ（1240頃～1302年頃）やジョットなどルネサンスはじまりの絵画、そしてダ・ヴィンチ、ミケランジェロ、ラファエロ（1483～1520年）など盛期ルネサンスの巨匠たちの世界、それにいまではあまり有名ではないが、かつて『ミロのヴィーナス』（古代ギリシア時代、前130～前100年頃）が発見されルーブル美術館に展示されるようになる以前は、古代ヴィーナス像の代表的作品とみなされていた『メディチのヴィーナス』（ローマ時代の作品。ルネサンスの時代も、そういう古代美術に美の典型が求められた／57ページ）など、イタリア・ルネサンス美術の精華が並んでいる。

そんな中でも、いちばんの目玉はボッティチェリ（1445〜1510年）の2点の絵画、『春』（1477〜82年）と『ヴィーナスの誕生』（1485年頃）だ。

ボッティチェリの絵は、取り外し・もち運び可能なタブロー絵画だ。壁にかけられたその絵の前に立ち、ついさっきブランカッチ礼拝堂で見た、マソリーノやマサッチオの壁画

サンドロ・ボッティチェリ『春』
1477〜82年（上）、
同『ヴィーナスの誕生』1485年頃
共にウフィツィ美術館（フィレンツェ）

と、心の中で比較してみる。あちらは、壁に描かれた壁画だ。それは建物と一体化している。それに対し、ボッティチェリの『春』や『ヴィーナスの誕生』は、板に描かれたタブロー絵画だ。絵が、建築という束縛から独立し、自由になってそこにある（これが最初のタブロー画という訳ではないが、いかにも、はじまりのタブローという感じはある）。壁画ではなくタブロー画も、壁に掛けられてはいるが、取り外し可能という状態は、絵というものが、美術の歴史の中で新しい段階に入り、それをいま目の前で目撃している、という感慨がある。（タブローの）絵は、そこに何が描かれているか、というイメージ以前に、まずはもち運びできるという「モノ」なのだ。

さて、『春』と『ヴィーナスの誕生』である。この美術館の目玉作品だけあって、絵の前にはたくさんの人だかりができている。しかし人の動きには波があって、あるタイミングでは、誰もいない絵の前で、じっくりと絵を眺めることもできる。この2枚の絵、描かれた順序は『春』が先で、『ヴィーナスの誕生』は、『春』の数年後に描かれた。『春』は、三美神が舞い、花の女神フローラの変身の場面もあり、まさに春爛漫の光景である。他方、『ヴィーナスの誕生』の方は、春夏秋冬という四季の言い方をすれば、裸体や海といった夏の光景である。つまりウフィツィ美術館には、ボッティチェリが描いた春と夏の光景がある、という見方もできる。

これらボッティチェリの絵は、異教的な主題という言い方がされる。どういうことか。先ほど、ブランカッチ礼拝堂で見た、マサッチオの『楽園追放』はキリスト教の聖書の世界が描かれている。これから見るレオナルド・ダ・ヴィンチの『受胎告知』や『東方三博士の礼拝』それに『キリストの洗礼』などは、聖書の物語の一場面を描いたものだ。それに対して三美神が踊る『春』や、ヴィーナスの誕生を描いた『ヴィーナスの誕生』は、どちらも古代ギリシア神話の世界である。そもそも、このヴィーナスのポーズは、古代ギリシアのヴィーナス像のポーズを参照している。

## ずっとヴィーナスといえば『メディチのヴィーナス』だった

ウフィツィ美術館には、『メディチのヴィーナス』という古代の女神像がある。いままでは、ヴィーナス像といえば、パリのルーブル美術館にある『ミロのヴィーナス』が古代ギリシアのヴィーナス像を代表している感があるが、この彫像は19世紀に発見されたもので、ボッティチェリが生きたルネサンスの時代にはその存在は知られていなかった。『ミロのヴィーナス』発見以前は、ヴィーナス像といえば、フィレンツェにある『メディチのヴィーナス』が代表格で、古代ヴィーナス像といえば『メディチのヴィーナス』であった。『メディチのヴィーナス』は、書斎のような内装の部屋に、1点だけで展示されていた。部屋の中には入れず、扉のある入り口から中を覗くと、部屋の中央に置かれている。見る人も、それが『メディチのヴィーナス』と知っている風でもなく、みな、ちらりと一瞥、部屋を覗いたら立ち去っていく。『ミロのヴィーナス』にお株を奪われ、まるで売れなくなった女優のように、そこに立ち尽くしている。

このヴィーナス像は、右腕で乳房を隠すように肘を曲げて、下がった左手は恥部を隠し

『メディチのヴィーナス』ローマ時代模刻像／ウフィツィ美術館（フィレンツェ）

サンドロ・ボッティチェリ
『ヴィーナスの誕生』1485年頃／部分
ウフィツィ美術館（フィレンツェ）

ている。このポーズ、どこかで見たようだが、ついさっき見たボッティチェリのヴィーナスと同じポーズなのだ。

歴史的には、もちろん『メディチのヴィーナス』がはるかに古いから、ポーズを真似たのはボッティチェリの方だ。ともあれ、ヴィーナスという主題だけでなく、そのポーズまで真似ている。この『メディチのヴィーナス』をボッティチェリが見たのか、事実は不明なのだが、少なくともその複製や模写を通して、この彫像の形やポーズを知ったことは十分に考えられる。そもそも知らなくては、ここまで同じポーズの彫像は作れない。美術作品というのは、このように影響を与え合っているのだ。もちろん、海で裸体のヴィーナスが誕生したという、夏のような光景も、またボッティチェリの創造に寄与したことは言うまでもない。

## 『キリストの洗礼』、ダ・ヴィンチが描いたのは一部分

　という訳で、その日はフィレンツェでたくさんの美術作品を見た。駅まで徒歩で行ける距離とは言え、ミラノ行きの列車の時刻も迫ってきた。美術館にいられるのも、あと1時間ほど。残りの時間の全てを、レオナルド・ダ・ヴィンチの絵画3点を見ることに費やすことにした。フィレンツェの旅も、いよいよクライマックスなのだ。

『キリストの洗礼』の前に立った。レオナルド・ダ・ヴィンチ20代の前半に描かれた絵だ。いや、正確にはダ・ヴィンチの絵ではない。彼が弟子入りしていた工房の師匠、アンドレア・デル・ヴェロッキオの作品というのが正しい。フィレンツェ市内にあるサン・サルヴィ聖堂から制作を依頼されて、ヴェロッキオが引き受けた仕事だった。

絵の中央に、合掌したポーズのキリストが立っている。その頭の上から水を注ぐ聖ヨハネが画面右に並び立ち、画面左では2人の天使が跪（ひざまず）いている。キリストの頭上には白い鳥がいて、キリストの足はヨルダン川の水に、足首から下が浸っている。背景には山河が広がっている。そんな絵だ。

　絵の注文を受けたのはヴェロッキオで、しかもダ・ヴィンチの師匠だから、絵の中で最も重要なキリストは、ヴェロッキオが描いた。まだ若い弟子だったダ・ヴィンチの仕事は、

隅っこの天使を描くことだ。それと背景の山河も、ダ・ヴィンチに任された。

ダ・ヴィンチが描いた部分は、このあたりだ（左写真）。2人いる天使の横顔をダ・ヴィンチは描いた。天使の頭上に、キリストが足を浸けたヨルダン川の遠景が奥行きをもって描かれている。ここもダ・ヴィンチの手になる。

ウフィツィ美術館の『キリストの洗礼』の前に立って、その絵を見ている多くの人が、この画面左隅に目をやっている。「ここがダ・ヴィンチが描いた部分か」と知っているのだ。せっかく絵の主役を描いたヴェロッキオ（とキリスト像）はかたなしである。「主役はこっちだよ」と言いたいのだろうが、お客さんの視線は、その左隅ばかりに向かう。

もちろん、アンドレア・デル・

レオナルド・ダ・ヴィンチ
『キリストの洗礼』1472〜75年頃／部分
ウフィツィ美術館（フィレンツェ）

ヴェロッキオは、一流の画家である。絵描きであるだけでなく、彫刻家、建築家としてもすぐれ、科学技術の知識にも詳しかった。しかし相手が悪かった。天才、レオナルド・ダ・ヴィンチと比べられてしまっては立つ瀬がない。ヨルダン川の浅瀬に立つキリストを描いたが、まさに立つ瀬がない。

## セザンヌとダ・ヴィンチ、風景画の共通点

若きダ・ヴィンチの描いた絵は、どこが魅力的なのか？　まずは天使の存在感の「ふわり」とした感じである。ヴェロッキオが描いたキリストは、体の姿勢が硬く、それは人間の姿というよりは、石の彫像みたいにも感じられる。また共同制作ということもあって仕方ないとは思うが、キリストの身体の存在が、周囲の空間からぎこちなく浮いている。空間に馴染んでいない。それに比べると、ダ・ヴィンチが描いた天使は、いま舞い降りてそこに佇んでいるかのように、自然な姿をしている。膝、腰、肩そして顔という身体各部のひねり方も、まるで調和の取れた音楽のように、優雅で軽やかだ。

さらに背後の風景には、奥行きのある「深さ」が実感できる。19世紀の天才画家、ポール・セザンヌ（1839～1906年）は、空間を、横への広がりでなく、奥行きの「深さ」

で捉えて、それを絵に描こうとしたが、そういう感覚である。

セザンヌの絵を見ているると、それを見ているこちらの目も、セザンヌの眼差しの影響を受けて、絵を見終えた後に日常の世界に戻っても、そこにある風景を「奥行き」で見ようとする。ただそれだけのことだが、しかし日常の光景がそれまでと違って新鮮に見える。世界には、こんなふうに奥行きがあったのか、なぜ自分はこれまでそれを見ているのに見えなかったのだろうと。つまり絵画によって、絵画を見る目が肥えるだけでなく、日常を見る目も豊かになる。

それと同じ感覚が、ダ・ヴィンチが描いた風景にもある。ダ・ヴィンチは、遠くのものほど小さく見える線遠近法の手法を研究し、さらには遠くのものほど青みがかって見える、遠くのものほど霞んで見えるという空気遠近法などを駆使して、『キリストの洗礼』の背後にある風景を描いた。その頃、絵の中の風景というのは、たんに人物がいる絵の背景という程度に軽く見られていた。やがてダ・ヴィンチは、風景画というものを1つのジャンルとして独立させる、その嚆矢(こうし)ともいえる存在へとなっていくが、そのような、風景画家・レオナルド・ダ・ヴィンチの萌芽を、すでにこの絵でも見ることができる。

この絵によって、弟子との能力の差を見せつけられてしまった師匠のヴェロッキオだが、これを境に筆を折り、以後、絵を描くことはなかったと言われる。似た伝説に、ピカソ（1881〜1973年）の父は美術教師で画家であったが、ピカソが10歳の頃に描いた絵に驚き、以後、絵を描くことはなかったというエピソードがある。ヴェロッキオも、新しい、とてつもない才能の出現を前に、絵を描くことをやめてしまったが、しかしそれで仕事を失ったという訳ではない。工房の運営は順調で、別に自分が全てに手を出す必要もない。だいたい、絵画以外にも、工芸、建築、彫刻など仕事は多く、自分ならではの制作に没頭すればそれで良い。

ともあれ、この『キリストの洗礼』によって、レオナルド・ダ・ヴィンチは華々しいデビューを果たした。

ということで、この『キリストの洗礼』という絵画について、ここまでの話を短い詩のような言葉でまとめてみよう。詩というよりは、俳句を短くした5・7の12音で綴った散文、といった方がいいかもしれないが。

『キリストの洗礼』は、以下のような絵画だ。

ふわりと軽い　天使描く

## ダ・ヴィンチ　デビュー　師を超えて

### 山と水　遠くの景色

**テーマや物語そのものでなく「いかに描かれたか」を追う**

『キリストの洗礼』の次は、ウフィッツィ美術館にあるレオナルド・ダ・ヴィンチのもう1つの絵画、『受胎告知』だ。

この絵は、先の『キリストの洗礼』とほぼ同じ時期に描かれた。ただし、こちらは師匠の手伝いとして部分を担当して描いたのではなく、ダ・ヴィンチ1人の作品だ。

場面は、題名の通りで、受胎告知である。つまりキリストの母マリアが、キリストを懐妊し（＝受胎）、「あなたは神の子を宿しました」と天使がやってきて告げている（＝告知）場面だ。これはキリスト教の教義にとって、キリストが生誕するという、聖書のクライマックスの1つな訳だが、ダ・ヴィンチは、そういう受胎告知の場面をドラマチックな絵画に仕立て上げた。

人生において、もっとも大きな出来事とは何だろう。もちろん、人によって人生様々、万人に共通するものなどないが、しかしやはり大きな出来事の1つは、子どもができる、ということだろう。自分が成長してきて、自分には親がいて自分がいる。自分が生まれてからずっと、20年とか30年、そういうものだと思っている。しかし、やがて人には自分の子どもができる。女性にとって自分のお腹に子どもが宿ったと知る瞬間、あるいは当人だけでなく、その相手の男性にとって、彼女・彼の親（つまり祖父母）にとっても、子どもができた！と知る瞬間は、人生の一大事の1つであることは間違いない。それはマリアとかキリストを信仰する宗教の信者だけの話ではない。宗教とは関係がなくても（関心がなくても）、人の心を打つテーマである。『受胎告知』に描かれているのは、そういう瞬間だ。

しかし、美術というものに思い違いをしてはいけない。美術は、必ずしも、何かを物語るもの、テーマがあるもの、メッセージがあるものではない。美術作品を前にして、なぜだかわからないが、心打たれるものがあったとしても、それが描かれたテーマによるものなのか、あるいは「何か別のもの」であるのかは、美術とは何かを考える上で重要なことだ。

たとえば、19世紀の画家、ポール・セザンヌは、テーブルの上の皿にあるリンゴを描いた。いまやセザンヌといえば、リンゴの絵だが（もちろんサント・ヴィクトワール山の風景画や、奥さんを描いた人物画も素晴らしいが）、たしかにセザンヌはリンゴを描いた画家だ。セザンヌ自身も、画家の野心に満ちた言葉として「リンゴでパリを驚かせてみせる」と語ったという。

しかし、もしセザンヌに会うことができて、質問できるなら、こう訊いてみたい。

「セザンヌさん、あなたがリンゴの静物画で描いたのは何ですか？　あなたはリンゴを描いたのですか？　それとも〝絵〟を描いたのですか？」

もちろん「どちらも」という答えもあるが、ここでは二者択一にしてみよう。はたして、セザンヌは「リンゴを描いた」のか、それとも「絵を描いた」のか。やはりセザンヌが描こうとしたのは「絵」だったのではないか。別に、リンゴの形とか色とか味とか、そういうことを伝えたくて描いたのではない。セザンヌは、絵が描きたかったのだ。実際、セザンヌの意識の中がどうだったのか、知る由もない。しかし、セザンヌはリンゴを描いたのではなく、絵を描いた、と考える（＝見る）ことで、セザンヌの絵画がどういうものか、その魅力に迫れるということも確かだろう。

レオナルド・ダ・ヴィンチの『受胎告知』を語るのに、別の画家、というか時代も国も違う画家を例に挙げてしまったが、やはりセザンヌと同じく、ダ・ヴィンチの『受胎告知』も、何が描かれたかというテーマや物語ではなく、いかに描かれたかという美術作品としての要素に迫ってみることも大事だ（もちろん、何が描かれたかも大事だが、それだけではない、絵画を絵画として見る見方も大事であるとは認識してほしい）。

## モローがダ・ヴィンチの絵から学んだものは

美術とは何か？　ここでは絵画作品の話をしているので、彫刻や映像などではなく、絵画の絵画としての要素は何か、ということを考えてみたい。つまり、画面の構図や、奥行きや（あるいは平面性）、光と影の描写や、色彩の扱いということだ。あるいは、絵の大きさ、サイズということも重要だ。

また、ダ・ヴィンチから話が逸れてしまうが（もちろん、最後はダ・ヴィンチの話に戻る）、フランスの画家ギュスターヴ・モロー（1826〜98年）の絵画について書いてみたい。パリに、モローのアトリエと住宅をそのまま美術館として公開している、ギュスターヴ・モロー美術館というのがある。おしゃれな室内の美術館で、パリの（上流階級の）住宅事情も分かるし、画家という人種がどういう空間で絵画を制作しているのか実感もできる。モロー・ファンでなくても、美術に興味がある人は足を運んでみて楽しい美術館だ。

ここの受付に、数冊のモロー関連の本が売られていた。その中に、なぜか日本語の本があった。自分のような日本人の観光客も少なくないからだろうが、そういう人間を相手にした選書なのだろう。『ギュスターヴ・モロー』（ジュヌヴィエーヴ・ラカンブル著、隠岐由紀子監修、創元社）という本で、帰りの飛行機内ででも読もうと、1冊買った。機内で読んでいて、いちばん印象に残ったのは、モローが絵画研究のためにルーブル美術館に通って、レオナルド・ダ・ヴィンチの絵を綿密に調べたというのだ。モローは色彩豊かな絵を描く画家で、パリの美術学校の先生もしていたが、教え子にはアンリ・マチス（1869～1954年）もいた。モローとマチスというのは、その画風がずいぶん違うように思えるが、しかし色彩感覚の豊かさという点では共通したところがある。絵というのは、表面的なスタイルの類似ではなく、そういう絵画の本質的なところで、師から弟子へと継承されていき、とくにモローのような一流の芸術家は、自分の表面的なスタイルを弟子に押し付けず、マチスのような全く別のタイプの、しかしいちばん重要なところは似ている、という育て方をしたのだ。

そのギュスターヴ・モローが、ルーブル美術館に通って、レオナルド・ダ・ヴィンチの研究をした。いったいモローは、ダ・ヴィンチの絵画から何を学んだのか？　モローとマチスの関係ではないが、ダ・ヴィンチとモローでは、ずいぶん作風が違う。たとえば新古典主義の画家ドミニック・アングル（１７８０〜１８６７年）が、レオナルド・ダ・ヴィンチの絵画から学び、自身の絵画制作に磨きをかけた、という話があったならストレートに納得できる。しかしダ・ヴィンチとモローでは、ぜんぜん違う。モローは、ルーブル美術館に通って、ダ・ヴィンチの絵から、何を学んだのか？　マチスへと連なる色彩の扱いについてか？

もちろん色の使い方も、ダ・ヴィンチから学んだことだろう。しかしモロー美術館で買った本に書いてあったエピソードは、モローがダ・ヴィンチの絵画から「絵のサイズ」について学んだというのだ。

え？　絵のサイズ？

どういうことかというと、モローは、ルーブル美術館でダ・ヴィンチの絵の縦横のサイズを測った。そして、それと同じ大きさのカンバスを作って、そこに自分の絵を描いた。モローがダ・ヴィンチから学んだのは、それだけだ。確かに、モローの描き方（人物、背景、主題）には、ダ・ヴィンチと似たところがない。しかしモローは、ダ・ヴィンチと同じサイズのカンバスに絵を描いた。このエピソードが語るのは、絵画にとって大切なのは、何が描いてあるかではなく、いかに描いてあるか？　ですらもなく、カンバスの大きさ、ということになる。モローは、ダ・ヴィンチの絵画の大きさには、絶妙のサイズ感があり、それがダ・ヴィンチの絵の美しさを下支えしていると受け止め、それを学んだのだ。

このような絵のサイズという、絶対的なモノとしての存在感は、絵を画集やネットの画像で鑑賞するというときには、抜け落ちてしまうものだ。だから絵画は、本物を見たときにしか「見えない」何かがある。どの作品でも良い、たとえばアンディ・ウォーホルの絵を想像してほしい。もしあなたが美術館でアンディ・ウォーホル（1928〜87年）の作品を見たことがあったら、そのサイズ感を思い出してほしい。そして写真で見た、その作品のイメージと比較してほしい。ウォーホルの絵は、あの大きさがもっている崇高さと不即不離だと思えないだろうか。ともあれ、モローが（結果として）教えてくれているように、ダ・ヴィンチの絵には、絶妙のサイズ感がある。

ギュスターヴ・モローが参考にしたダ・ヴィンチの絵は、ルーブル美術館にある。それがどの作品かまでは分からないが、モローの絵のサイズと比べると、『聖アンナと聖母子』かもしれない。あるいは『モナリザ』か。ダ・ヴィンチの絵には、ミラノにある『最後の晩餐』のように、巨大で、たくさんの登場人物を描いたものもある。大きければ、それだけで見るものを圧倒し、見るものを感嘆させる力がある。しかし『モナリザ』のような小さな絵が、どうしてあれほど有名で多くの人を惹きつけるのか、その小ささからは分からないところがあるが、その1つとして絵のサイズということを考えるのも必要なことなのかもしれない。

## 『受胎告知』、構成物のヒエラルキーのなさ

さていまは、この旅行記のフィレンツェのウフィツィ美術館について書いているところだ。パリのルーブル美術館の絵についての話は、先送りして、ともあれウフィツィ美術館にあるレオナルド・ダ・ヴィンチの絵に話を戻そう。20歳代の若者レオナルド・ダ・ヴィンチが描いた『受胎告知』についてだ。この絵について、自分は、まず「そこに何が描かれているか」という受胎告知という物語について言及した。しかし絵画とは、何が描かれているかだけでなく、いかに描かれているかも重要だということで、話が、セザンヌ、モロー、ウォーホルと脱線してしまった。その絵はいかに描かれているかという視点で、ここでは、ダ・ヴィンチの『受胎告知』を、構図という面から見てみることにしたい。

ダ・ヴィンチの『受胎告知』を5等分。裾分一弘著『もっと知りたいレオナルド・ダ・ヴィンチ』（東京美術）を参照し作図。78、80ページも同様

この絵には、2人の人物がいる（1人は天使で人間とは言えないが、そういう意味でなく、ともあれ2つの身体がある）。この2人の人物が右と左に描かれ、ほぼ左右対称のような構図になっている。これを、図のように5等分してみる。すると、左右の2つが正方形に近くなり、そこにそれぞれの人物が収まっている。5等分した画面中央にあるのが、奥へと抜ける山河の風景になっている。

天使の背景と、マリアの背景は、ずいぶん異なっている。

天使の背景には、樹木が横方向に並んで描かれている。日本の、長谷川等伯（1539〜1610年）が描いた『松林図屏風』（1593〜95年頃）なども想起させる。等伯が描いたのは松であったが、ダ・ヴィンチの絵に描かれているのは杉である。このダ・

ヴィンチが描いた糸杉であるが、あまりにシュールな幾何学的な形をしていて、これはダ・ヴィンチが考案した樹木なのだと学生の頃は思っていたが、初めてフィレンツェ郊外を旅したとき、これと同じ形の杉が、ふつうにあちこちにあって、ただの描写なのだと知った。もちろん、その樹木を描くのは、ダ・ヴィンチが選んだことなので、この糸杉の並木が作る光景の雰囲気がダ・ヴィンチ的であることに変わりはないが。

そして天使の背景とは別に、マリアがいる空間の背景。こちらは建築（＝人工物）が作る、遠近法的な作図を背景とした空間だ。壁も、テーブルのような台も、白い大理石で作られている。この大理石の台は、実物を間近で見ると、それが絵に描かれたものなのか、あるいは本当にそこに石のテーブルがあるのかと見間違えるほどのリアルな描写になっている。ダ・ヴィンチの描画力は、神の手としか思えないものも多いが、この白い台もその1つだ。この絵には、人物、山河、並木、建築などが描かれているが、その中でもとびきりリアルなのが、この台で、この絵の主役はここにあったのか、と思えるほどだ。いや、逆の言い方をすれば、ダ・ヴィンチの絵には、通常の主役・脇役の区別がない。この絵の中の、どれもが主役なのだ。かつてポップアートの旗手ジャスパー・ジョーンズ（1930年〜）は、このダ・ヴィンチの『受胎告知』について、「この絵にはヒエラルキーがない」

というようなことを言ったが、ポップアートは飲み物の瓶やポスターといったモノにも大きな存在感を認め、それを他と対等なモチーフとして描いたが、そういうポップアート的な世界観の起源も、このダ・ヴィンチの絵にはある。

また「何を描いたか」というような話になってしまった。話を、「いかに描いたか」に戻したい。もちろん、絵には「何を描いたか」と「いかに描いたか」の両方があって、どちらも大切なのだが、ふつうの絵の見方として、やや前者に重きを置き過ぎる傾向があるように思えるので、自分はあえて「いかに描いたか」を重視しようとしているのだ。

## ダ・ヴィンチの構図と黄金比がわかればアートがわかる

『受胎告知』の構図だ。

この絵は、画面を5等分すると、その全体構造が、まず見えてくる。そして左右の2つに人物がいて、中央の1つに人のいない風景がある。この風景、つまり自然の風景ということで見ると、マリアの背後が建築であるのに対して、残りの3つが自然の風景ということになる。つまりこの絵は、3対2の構図に、左右で分割されている。つまり1・5対1の比率だ。だが、この5等分というのも、大雑把に区切った線で、画面全体の左右の分割

## 外中比

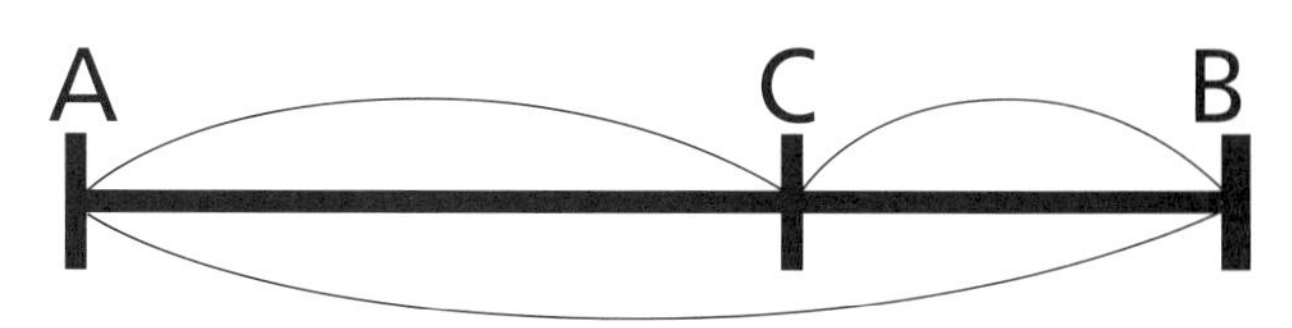


黄金比は外中比ともいう。AB対AC＝AC対CB＝1.6対1

線は1対1・6と見ても無理なく見えるというところもある。

この、1対1・6という比率は、黄金分割といわれるものだ。数値をもう少し細かくいえば、1対1・618ということになる。つまり、ダ・ヴィンチは『受胎告知』の構図に、黄金比を使っているらしい、ということが考えられるのだ。

黄金分割とは、もっとも美しい比率、バランスであると言われる。しかしなぜ、1対1・618が美しいのか？　実は、これは感覚の問題ではない。たしかに、1対1・6くらいの構図で区切られた形や長さはバランスがいい。しかし、黄金比の意味というのは、それだけではない。大きな世界の中に、それと同じ比例の小さな世界がある。そういうミクロコスモスとマクロコスモスの照応、というようなものが黄金比の中にあるのだ。

たとえば、線の比率で説明してみよう。これが黄金比だ。

黄金比は、外中比ともいう。この図で、ＡＣ対ＣＢの長さが、1・6対1の比になっている。さらに、ここからが驚きなのだ。この線の全体の長さABとACとの比が、なんと1・6対1になる。つまり、小さな世界の外に、それと同じ比率の、大きな世界があるのだ。この比率の世界は、どこまでも大きくなっていく。その大きな世界の外に、それと同じ比率のさらに大きな世界がある。これは、小さな世界の方にも、同じことが言える。つまり小さな世界の中に、それと同じ比率の、さらに小さな世界がある。そういう大きな世界と小さな世界が照応する比率が、1・6対1なのだ。人は、それをなんとなく察知して、そういう比率で描かれたものをバランスが良いと感じ、美しいと思う。それが黄金比というものなのだ。レオナルド・ダ・ヴィンチは、自身の絵画作品に黄金比を使っている。しかも20代の若いときに、すでに黄金比の構図による絵を描いているのだ。

もう一度、ダ・ヴィンチの『受胎告知』の画面全体を見てみる。たしかに、横方向の構図は、ほぼ黄金比に分割されている。しかし画面の形はどうか？　つまり、画面のサイズの縦と横の比だ。この絵のサイズは、横が217センチ、縦が98センチある。つまりその比は、2対1で黄金比ではない。縦が、黄金比よりずいぶん短い。横と縦の比が1・6対1の四角形を「黄金四角形」というが、この『受胎告知』の画面は、黄金四角形よりも、はるかに細長い。

ではダ・ヴィンチは、『受胎告知』で、黄金比とは無関係の形の板に、絵を描いたのか。そうではない。じつは、この絵の形も、黄金比で出来ている。どういうことか？　説明しよう。

次の図を見てほしい。縦が1、横が1・6の長方形だ。つまり、黄金四角形は、このような形をしている。

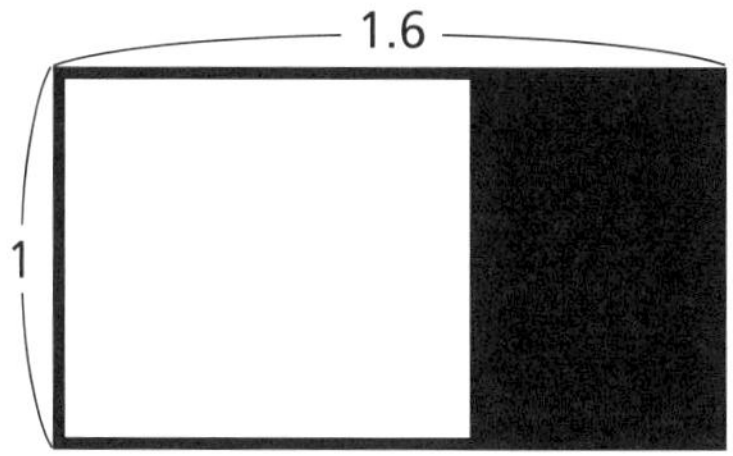

縦横比が1対1.6の長方形＝黄金四角形。1辺が1の正方形を描いた残りの黒い長方形も長辺対短い辺＝1.6対1になる

ここから、一辺が1の、正方形を描く。白い正方形だ。そして残りが黒く塗ってある。なんと、この黒い長方形だが、長辺が1・6、短い方の辺が1になっている。つまり、この黒い長方形も黄金長方形なのだ！

黄金比というのは、大きな形（や長さ）の中に、それと同じ比率の形（や長さ）があるものだが、この黄金四角形も、そこから正方形を切り抜くと、残りの部分が、小さい黄金四角形になる。この操作は、無限に続けることができる。小さい方へも無限に続くが、大きい方にも無限に続く。だから黄金比なのだ。

さてダ・ヴィンチの『受胎告知』だが、画面は、こんな形をしている。そこに黄金四角形の作図を並べてみる。

気づかれただろうか？　この絵の画面の縦横の比は、黄金四角形に基づいているのだ。

つまり、この黄金四角形の図の、黒い長方形の部分に、さらに四角形を切り取ってみる。こうだ。

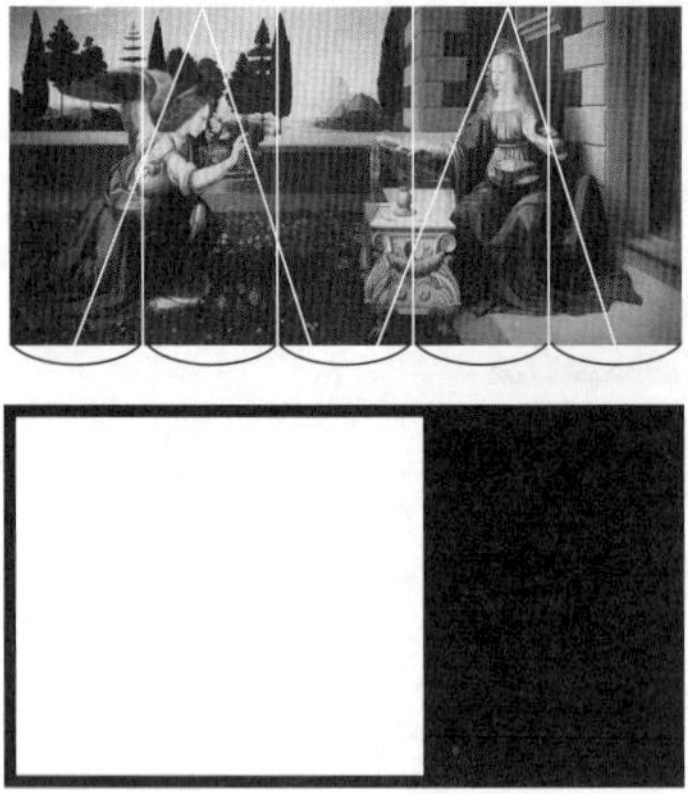

この小さい、白い正方形の縦の長さを、そのまま横に延長する。つまり、こうだ（79ページ）。

この白い長方形の縦横の比は、ダ・ヴィンチの『受胎告知』の画面の縦横比と同じである。

しかも、白い長方形を縦に区切る線の位置も、『受胎告知』のマリアがいる室内が描かれたところと一致する。

間違いなく、ダ・ヴィンチの『受胎告知』

『受胎告知』の縦と横の比は黄金四角形に基づいている

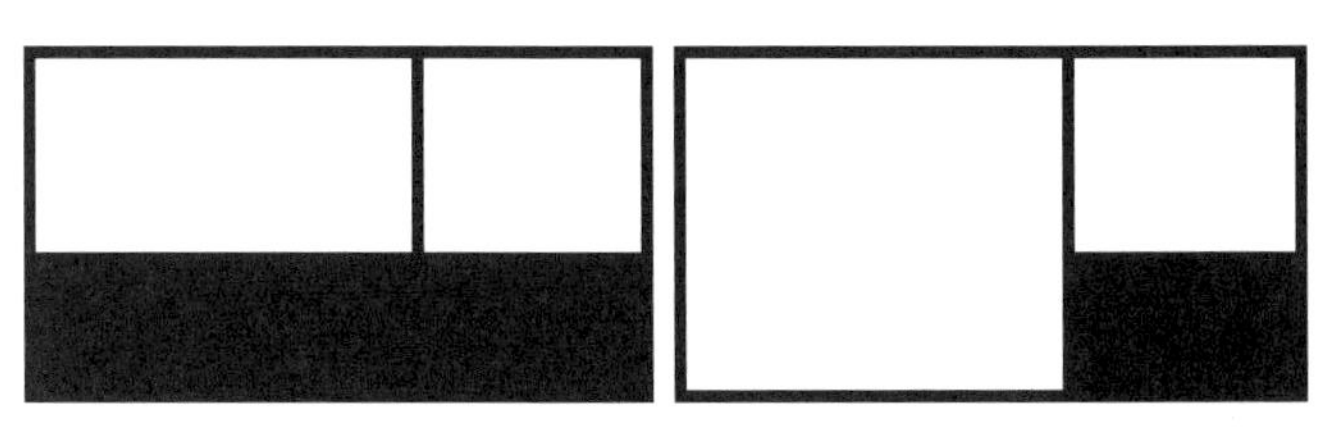

黄金四角形を分割していくと『受胎告知』の縦横比になる

は、黄金比に基づいて、その構図や、画面全体の形が決められている。レオナルド・ダ・ヴィンチは、黄金比の秘密に魅せられて、生涯にわたってその研究を続けたが、すでに20代の若者であったときに、その問題意識は探究されていた。

ここで、19世紀の画家、ギュスターヴ・モローが、パリのルーブル美術館で、ダ・ヴィンチの絵画から、その「サイズ」を学んだ、という話を思い出してほしい。絵のサイズとは、いったい何なのか？　それは、モノとしての絵画の、絶対的な存在感のことである。つまり、黄金比というのは、比例なので、そこにはモノとしての絶対的な大きさというのはない。あくまで、比なのだ。しかしたとえば、縦が1メートル、横が50センチというサイズの絵画があったとしたら、それはその大きさの存在物でしかなくなる。その倍も、半分も、比は同じでも「別のもの」となる。

レオナルド・ダ・ヴィンチは、絵画の制作にあたって、黄金比という「比」を絵画に込めた。一方で、ギュスターヴ・モローが

受け取ったように、ダ・ヴィンチの絵のサイズには、絶対的な大きさの美がある。相対的な比と、絶対的な美、この両者が共存しているのが、ダ・ヴィンチの絵画なのだ。それは画家としてのキャリアの、ほぼ出発点とも言える作品に、すでに込められているものだった。

黄金比の話のシメとして、ここに短い12音の文を書いておこう。

比率変わらず　どこまでも

これが黄金比というものだ。と同時に、ダ・ヴィンチの絵画には、画面の絶対的なサイズというものがある。これも短くまとめると、こうなる。

## 黄金の比と　サイズの美

さて。

絵画の構図、サイズについてはいろいろ書いたので、次に描かれているものの「描写のしかた」についても、『受胎告知』を鑑賞してみたい。2人の人物、マリアと天使（天使は人間ではないが）について見てみよう。まずはマリアの身体描写から。

椅子に座って、庭に舞い降りた天使を見るマリアは、赤い服を着て、その上に青と黄色の布をまとっている。受胎告知を受けるマリアが、赤い服を着ているというのは、ダ・ヴィンチの趣味や考案ではなく、教義として決まっていることなのだが、しかし赤と青と黄色の面積のバランスなどは、もちろん画家の手に委ねられる。ここでは黄色の面積が少ないが、マリアの顔や首、それに手といった肌の色は、この3色の中では黄色に近い。その結果、赤・青・黄の3色がバランス良く配置されているが、この3色を色彩の三原色といい、う。色彩学については、別の章で書くことにしたいが、ともかく色彩の三原色が揃ってバランス良く配置されていることで、画面に、あるいはマリアを取り巻く雰囲気に「調和」というような効果が生まれている。

## 『受胎告知』、心の動揺を語る手や指

さて、このマリアであるが、左手をもち上げ、手のひらを天使の方に向けている。これは思いもよらぬ告知を受けて、驚いている様を描いたポーズだ。ヨーロッパ人、特に南のイタリア人は、身振り手振りを大袈裟にして感情表現をするが、このルネサンス時代のイタリアの画家も、そんな身振りで、これが驚きの場面であることを伝えてくれる。マリアの右手は、書見台に置かれ、手首も指も、わずかに曲げられている。顔は無表情だが、手や指が、心の動揺を語っている。ダ・ヴィンチといえば『モナリザ』で、『モナリザ』といえば微笑みだが、ダ・ヴィンチが人物の顔に微笑みを描くようになるのは、中高年になってからで、若い頃の絵は、この『受胎告知』に限らず、顔は無表情のものが多い。その代わり、この絵では、腕や手や指のポーズで、心の動き(=表情)を表しているのだ。

ところで、このマリアの右腕だが、これが不自然に長い、としばしば指摘される。たしかに体の大きさに対して、まるで別人の腕のように、長く大きく、この右腕には妙な存在感がある。はたしてダ・ヴィンチは、この女性を描くに際して、デッサンが狂ってこのような長い腕を描いてしまったのか？　それとも、この腕の描写は、ある意図をもって、あえてこのように描かれたのか。

ここで思い出していただきたいのは、フィレンツェのアカデミア美術館の項でミケランジェロの『ダヴィデ』について書いたことだ（39ページ）。この巨大な彫刻は、高さが4メートルほどもある。しかも台座があって、その人体像を見上げると、頭部は、足に比べて遠くにある。4メートルとは、どのような距離か。たとえば、あなたがいま部屋にいるなら、部屋の中を見回してほしい。4メートルほど離れた部屋の隅にダンボール箱があったとしよう。それは、目に、かなり小さく見えるに違いない。だから『ダヴィデ』でも、像の足下から見上げたときに、人体の全体がバランス良く見えるように、頭部は大きく作られている。腕と足の比較でも、腕が小さく短く見えないように、長めに造形されている。

ダ・ヴィンチの『受胎告知』でも、同じことが考えられないか。つまり、この絵を「ある角度」から見たときに、その長さや大きさが修正されて、バランス良く見える。『受胎告知』は、横幅が2メートルほどの絵だが、絵の中のものの大きさというのは、正面から見た時と、斜め横から見たときでは、ずいぶん大きさが違って見える。この効果を最大限活用したのが、19世紀のフランスの画家、ポール・セザンヌだ。セザンヌの絵は、絵の前を動いて見ると、絵の正面から見たのと、左端から見たのと、右端から見たのでは、空間の奥行きが違って見える。ある風景画で、手前に林の樹木があって、その先の中景に畑が、さらに遠景に山が描かれているものがあったりする。これを左端から見ると、林の向こうの畑は奥行きが深く見え、今度は右端に移動して見ると、さっきまで気づかなかった山が、重々しい存在感をもった巨大な塊に見えてきたりする。

## マリアの右腕が不自然に長い理由

そこでダ・ヴィンチの『受胎告知』も、絵の正面からだけでなく、斜め横あたりに立って、そこから斜めの画面を見てみる。じつは、ダ・ヴィンチの『受胎告知』は、注文された教会の室内の構造が、絵をかけた壁の右の方に入り口があって、まずはこの絵を斜め右から見るようになっている。ダ・ヴィンチも、そういう視点を想定して、あえてそのような斜めから見たときに、絵がどのように歪み、その歪みの効果を利用すると、どのような表現が可能か、それを考えて、この絵を描いたと考えられているのだ。

そこで自分も、ウフィツィ美術館の『受胎告知』の前で、絵の右斜め前に立って、その角度から見ると、どのように見えるか、それを体験してみることにした。そのような視点から撮ってみた写真が、これだ。

ここでは、腕が長すぎると批判される、マリアの右腕を見てみる。右斜め方向から見る

レオナルド・ダ・ヴィンチ　『受胎告知』1472～75年頃
ウフィツィ美術館（フィレンツェ）

と、マリアの右腕は、左腕や胴体よりも遠くにある。つまり遠近法の理屈でいえば、小さく、短く見える。実際に見ると、たしかにそうだ。そして「長すぎる」と言われる腕が、ちょうど良い長さに、マリアの身体に収まっている。バランスが良い。

しかもこの角度から見ると、背景の山河が、さらに奥行きを増し、天使の登場もまたドラマチックな効果を増しているように見える。この天使は、遠くにあるので、マリアの身体に比べて、小さく見え、そうであるがゆえに、天使という非現実的な存在の登場を、かえってあたかも現実に見えた光景であるかのように思わせもする。

そうか、この絵は、まずはこの角度から見るのか。この絵が飾られる予定の、建物の空間の効果を、ダ・ヴィンチは計算して描いていたのか。マリアの腕の描写も、デッサンが間違っていたのではない。

そのような歪みの修正だけではない。セザンヌの絵が、斜め方向から見ると、描かれたものに立体感が現れるように、ダ・ヴィンチの『受胎告知』にも同じ効果がある。マリアの身体の、前に出た脚と膝と、その奥の胴体と頭部、それらが、このように斜め方向からだと立体感が増して見える。ダ・ヴィンチは、セザンヌに先立つこと300年前、同じ手法で人物を、空間や塊を描いたのだ。

## ピカソとダ・ヴィンチ

このイタリアの旅へは、自分と長男の2人で行った。息子は、大学院で美術や映像を専攻している。年齢は、『受胎告知』を描いた頃のダ・ヴィンチと、ほぼ同じだ。彼は、この『受胎告知』を見て、絵画のあらゆる技術が駆使され、統合されていると感嘆していた。

我々は、その旅で、イタリアの後にパリに行き、そこでピカソ美術館へも行った。パリのピカソ美術館にも、若かりしときに描かれた、青の時代のピカソの絵があって、それを見ているときも、息子は自分の年齢と比較して、あれこれ喋っていた。そしてこんなことを言った。「自分と同じ年齢のときに描かれたピカソとダ・ヴィンチの絵を見ると、もしかして、まだ自分はピカソになれる可能性はゼロではないと感じるが、ダ・ヴィンチになるのは無理だ」と。自分はまだピカソになれるかもという野望（？）はともかく、息子にとってピカソは、まだ手の届くところにいる、つまり自分との距離を測れる画家だった。しかしダ・ヴィンチは無理だ、と。それはピカソが20世紀の画家で、時代感覚が近いとかいうことでなく、息子にとってダ・ヴィンチは「とんでもないこと」をしている画家に見えたのだろう。ふつう、ダ・ヴィンチとピカソでは、努力すればダ・ヴィンチになれる（近づける）かもしれないが、ピカソになるには努力だけではダメだ、と考えないだろうか。つまり、ダ・ヴィンチの絵は、ただ上手いだけだ、と。しかし同じ年齢のピカソとダ・ヴィンチと自身を、美術館で実物を見ながら比べた息子の目には、ダ・ヴィンチの絵は、おそるべき複雑なものに映ったようだった。

## 天使ガブリエルの羽根が表現する自然

さて、ダ・ヴィンチの『受胎告知』に描かれた聖母マリアについての話を起点に、いろいろ書いてみたが、この絵についての最後に、もう1人の人物、天使ガブリエルのほうも見てみよう。

キリスト教の宗教画、受胎告知では、聖母マリアに「神の子を宿した」と告げに来る天使は、手にユリの花をもつことが決まりごとになっている。この絵でも、天使が左手に白いユリの花をもっているのは、それはダ・ヴィンチの考案による演出ではなく、ダ・ヴィンチ以前から、そういう描き方になっていて、ダ・ヴィンチはそれを踏襲したにすぎない。しかし描かれたユリの花の描写は精緻で、黒い背景を前に、白い花がくっきりと浮き出ている。しかも、この絵にある花は、このユリだけではない。天使がいる庭には、地面に生えた草から、花々が咲き乱れている。

天使の前の地面を、絵に近づいて見てみた。こうだ（89ページ）。

そこには、白いユリの花を反復するように、たくさんの白い花が描かれている。庭に咲き乱れているのは、白い花だけではない。黄色や紫や、色鮮やかな花が描かれている。写真ではわかりにくいのだが、画面に近づいて、肉眼でまじまじと見ると、本当に色彩が溢れる花園なのだ。この絵は、十数年前、東京国立博物館で展示され、明るい照明が当てられて、画面の隅々までくっきり見えたが、そのとき、意外なほどの色彩世界に息を飲まれた方も多いだろう。

さて天使だ。その姿は、側面から描かれている。こうだ（90ページ）。

ダ・ヴィンチの絵は、どれも芝居がかった人物像で（これは人間ではなく天使だが）、この天使も、「ただ伝える」のではなく、片膝をついて、体を前に傾けて、意味ありげな手のポーズを取っている。赤い布の皺は、マリアの服もそうだが、ダ・ヴィンチの腕の見せ所とばかり、複雑に皺がより、しかもその中の脚や腰の形はしっかりと捉えられている。

ただ、この天使の姿の描写で、1つ違和感を覚えるのは、背中にある

レオナルド・ダ・ヴィンチ
『受胎告知』1472～75年頃／部分
ウフィツィ美術館（フィレンツェ）

レオナルド・ダ・ヴィンチ
『受胎告知』1472〜75年頃／部分
ウフィツィ美術館（フィレンツェ）

羽根の形だ。はたして、本当にこれもダ・ヴィンチが描いた箇所なのかと、疑念を抱いてしまいそうなほどの、服のリアルに迫る描写力とはギャップがある。もちろん細部まで描きこまれた羽根は、豪奢ともいえる佇まいで、また謎めいた形でもある。ともあれ、自分はこれまで、この天使の姿で、羽根の描写だけには、なんだか納得できないものがあった。

しかし、このときは、その印象が一変した。そもそも絵は、生き物のようなところがあって、見るときどきによって、まったく違って見えてくる。たとえば、パリのルーブル美術館にある『聖アンナと聖母子』は、これまで何度見たか、数えられないほどだが、あるときはその息を飲むような生き生きとした画面に魅了され、別のときは（たとえばヨーロッパのあちこちを長い旅をして、疲れた足と目でルーブル美術館に行ってぼんやりしていて）、ああ、ダ・ヴィンチの絵があるな、とほとんど「確認」するだけで、何も感じないときもあった。名画だからといって、いつでも、その美の魅力が伝わってくる訳ではない。もちろん、『聖アンナと聖母子』を前に、まるで初めて、その絵を見たような新鮮な気づきがあるときもあった。あるときは、なぜか画面の上3分の1がブルーの色調で統一されていることに気付いて、その直後に『モナリザ』を見たら、同じ構図のブルーがあって、心ひそかに「ダ・ヴィンチ・ブルーだ！」と勝手に命名したこともあった。

今回、ウフィツィ美術館の『受胎告知』の前に立って、天使の羽根の描写を見て、初めて、その力強さに心打たれた。それまで、自分はこの羽根の描き方で、その「付け根」の形に違和感をもっていた。そもそも天使の羽根はどうあるべきか。身体に関わる表現で、そのお手本とすべきは「自然」である。つまり人や動物という実在する生き物（＝自然）があって、そこから想像の、架空の存在の体を応用して造形する。そこでまず考えられる天使の羽根というのは、羽根そのものの形態は鳥や蝶のそれを参考にするとして、その「付け方」は、天使とはいえ、基本は人間の解剖学的な身体をベースに考える。そうしたら、背中に羽根を付けるということで、もっとも自然なのは「肩甲骨」を参照することだ。

肩甲骨は、背中つまり胴体にあるが、解剖学では腕の一部と考えられている。腕と手を、解剖学用語では「上肢」という（いわゆる胴体は「体幹」という）。この上肢は、4つに分けられて、体幹に近い方から末端に向かって、それぞれ、

上肢
1. 上肢帯
2. 上腕
3. 前腕
4. 手

となる。解剖学で手というと、手首から先の、手のひらと指のこととなる。また肩甲骨であるが、これは上肢帯を構成する骨だ。上肢帯の骨は、鎖骨と肩甲骨、つまり、

上肢帯→ 肩甲骨
　　　　 鎖骨

という構成だ。なぜ、肩甲骨（と鎖骨）は、体幹ではなく、上肢の一部であると解剖学では考えるのか。何しろ、それがあるのは、どう見ても胴体（＝体幹）ではないか。なぜ、ここが腕（＝上肢）なのか。それは腕の動きというのが、この肩甲骨と鎖骨からはじまっているからだ。ボールを投げる動作を考えてみてほしい。手のひらにボールを握っている。たとえばボールを投げる動作で動かすのは、指と手首の関節、それに肘の関節、腕の付け根の関節、そして肩自体も動かす。この肩自体というのが「上肢帯」、つまり鎖骨と肩甲骨だ。この肩甲骨をデフォルメしたのが「天使の羽根」になると考える訳だ。肩甲骨は、体幹とは独立して、それだけで動く。まるで折り畳んだ羽根のようではないか。なので、羽根の付け根は、肩甲骨の、体の中心に近い方の端にすると、自然になる。

## デッサンの狂い

ダ・ヴィンチが『受胎告知』で描いた天使の羽根を見てみよう。その付け根は、肩甲骨の位置と、ほぼ一致する。ただしヒトの上肢というのは、右腕と左腕の2本だ。しかし天使は、同じ数え方をすると、右腕と左腕があり、さらに左右の羽根がある。つまり4本ある。鳥の場合がそうだが、羽根があれば、腕はない。羽根は、腕（＝前足）が進化したものので、天使でも、羽根か腕か、どちらかがあるのが生物の身体としては自然なものとなる。

しかし、ダ・ヴィンチの『受胎告知』の羽根に、かつて自分が違和感を抱いたというのは、そういうことではない。別にダ・ヴィンチが描いた天使だけでなく、ダ・ヴィンチの絵では、天使というのは一般に、左右の腕とは別に羽根があるものだ。その羽根の付け根のところが、長く、太くなっている。このような形態の天使の羽根というのは、あまりない。それは羽根ではない、別の何かのようにすら見えるのだ。

ところが、絵画というのは、いつでも同じように見えるのではない。何度か、別の機会にその絵の前に立つと、それが違ったように見えることがある。しかし、それは決して、絵画というのは曖昧で、しっかりと揺るがないものがある訳ではない、という意味ではない。それまで気づかなかったものが、ある機会に見えて、一度それが見えると、それが確固としたものであった場合、次からは、それがその絵画の魅力、その絵画の力として、いつも迫ってくる、ということだ。つまりある機会を境にして、絵が「見えて」くる。

ダ・ヴィンチの『受胎告知』の羽根の描き方について、それが「見えて」きたのが、この息子と二人旅をした、フィレンツェでのことだった。羽根の何が、どう見えたのか？

それは華やかな色彩と模様の羽根の表面ではなく、その羽根の骨格のような、内側を意識したときに、自分には感じられた。つまり羽根が、羽根ではなく、腕に見えたのだ。

この絵では、天使の右半身がこちらを向いている。なので、ここでは天使の右腕と、右の羽根を見てほしい。肩の先、角のところにある筋肉を三角筋といい、服でいうと肩パッドが入るところだが、服のそこが丸く膨らんでいる。ここを円の中心のように見て、そこから半径の線が伸びている、というような見方をして欲しい。その半径のような線が腕ということになるが、その中心点からコンパスで円を描くように、腕が回転して見える。アニメーションというのは、複数の絵が結びつくことで「動き」が生まれるが、それと似たような効果が、この絵にはあるのだ。つまり、羽根の付け根が長く伸びていることで、それがまるで「腕」のように見え、腕に動きが生まれ、それが天使の存在の躍動感のような効果を生む。そういう表現であるには、この羽根の造形は、このような形態であるのが何よりなのだ。そして、そういう見方をすると、それまで違和感と思えていた同じ造形性が、効果的（！）と思えるようになる。しかも、肩を中心に、腕と羽根が対称形になり、造形的なバランスさえ感じられてくる。

ダ・ヴィンチの『受胎告知』は、あっちもこっちも、デッサンが狂っている、と見えてしまいかねないが、じつはどれも、ダ・ヴィンチはあえて考えて、そのような描き方にしているのだ。そう思って見ると、この絵を鑑賞する時間が、たのしく、ワクワク、生き生きしたものになってくる。

良かった。ダ・ヴィンチの『受胎告知』を見て、良かった。そんな気持ちになって、満足して、この絵の前を立ち去った。

ということで、レオナルド・ダ・ヴィンチ『受胎告知』についても、短い言葉でまとめてみよう。こうだ。

奥行きを出す　長い腕

絵にいのち産む　庭の花

天使の羽根に　腕おもう

そして、もう一度、『受胎告知』を、その構図として支えている、黄金比についても。

黄金の比と　サイズの美

これで『受胎告知』については終わり。

## タルコフスキーで体感した『東方三博士の礼拝』

さて、ウフィツィ美術館には、ダ・ヴィンチが描いた絵が3点あって、最後に残りの1点、『東方三博士の礼拝』を見た。

キリストが誕生し、それを祝福するために、聖母マリアと幼児キリストのところに、東方から3人の博士がやってきた。画面中央に聖母子が、その周りに3人の博士がいて、キリストから聖水を注がれている。さらにその外側には羊飼いたちがいて、そのさらに遠方には廃墟と荒野の風景が広がっている。そんな絵だ。特に色彩もない。塗り残しも多い。これは、未完成のまま終わってしまった絵なのだ。

この薄暗い、色彩のない絵の、どこが面白いのか。初めてフィレンツェを旅して、この絵を自分の目で見たのは随分昔のことだが、そのときまで、ずっとそう思っていた。いや、そもそも魅力を感じなかったので、この絵のことを悪く思うことすらなかった。この絵の存在は、ずっと自分には関心がなかった。

いや、意識の片隅には、この絵は存在していた。画集や写真で見たということを除いて、この絵との最初の「本当の」出会いは、大学生のときだ。美術館で、ではない。映画館だった。

1987年、アンドレイ・タルコフスキー（1932〜86年）の映画『サクリファイス』（1986年）が公開された。この映画は、タルコフスキーの遺作となった作品だが、その頃すでに映画界で歴史的な伝説とでもいえるほどの存在になっていたタルコフスキーだったが、その映画の初公開をリアルタイムで体験できたのだった。それ以前には、『ノスタルジア』『惑星ソラリス』などに惹かれ、ミニシアターの安い映画館に、タルコフスキー3本立て上映会などを見に行ったこともあった。3作で、休憩をいれて8時間とかになる。体力勝負だし、腹も空く。それでもかばんに入れたパンを齧（かじ）りながら空腹をしのぎ、がんばって見た。タルコフスキーの映画こそ、映画における芸術だと思い、その真髄を掴みたかったのだ。そのタルコフスキーの新しい作品が、いったいどんなものなのか、リアルタイムで見ることができる。本当に息を飲むような気持ちで、映画館の暗闇の中で、映画の冒頭の場面を目にした。

　映画がはじまり、まずスクリーンに映ったのは、レオナルド・ダ・ヴィンチの『東方三博士の礼拝』だった。音楽が流れ、そちらはバッハの『マタイ受難曲』だった。音楽は、時間芸術だから、どんどんと進む。しかしスクリーンに大きく映された『東方三博士の礼拝』は、幼児キリストから聖水をいただく博士の、跪いた姿の部分が映されるだけで、まったく動きがない。絵画だから動かないのは当然だが、それでもカメラを動かしながら、画面のあちこちを映すこともできる。でも、カメラはいつまでも止まったままで、音楽だけがどんどん時を先に進ませていた。

　たぶん、そのときが初めてだろう。自分が「絵画」を見たと感じたのは。もちろん、それは絵画ではなく映画だ。しかし初めて、絵画というものの生々しいリアルを体験できた。絵の画面が撮影されているから「絵画が見えた」のではない。タルコフスキーの手によって、そこに現れた「絵画」を、自分は体感できたのだ。

　それが、真の意味での、自分とダ・ヴィンチの『東方三博士の礼拝』との初めての出会いだった。しかし、タルコフスキーの絵で体感できたのは、クローズアップされた絵画の一部で（映画では、その後にカメラが動いて、絵の他の部分も映したが）、絵画全体の構図を映画で堪能できた訳ではない。そもそも、その後の自分の記憶の中では、それはダ・ヴィンチの絵ではなく、タルコフスキーの映画の一部、という認識になってしまい、フィレンツェのウフィツィ美術館にある『東方三博士の礼拝』と、意識の中では結びついていなかった。レオナルド・ダ・ヴィンチの『東方三博士の礼拝』は、地味で薄暗いもので、特に魅力的な絵画という憧れの存在では、ずっとなかった。

## 「未完成の完成」と水墨画

ところが自分が30代の半ば頃のことだったろうか、初めてイタリアを旅して、初めて肉眼でダ・ヴィンチの『東方三博士の礼拝』を見て、この絵に対するイメージは一変した。まずは、先にも書いたが、絵の絶妙なサイズだ。画集やネットで絵を見ると、その絵柄は分かるが、サイズ感は実感できない。勝手に想像して、絵の写真を見ているのだが、実際に本物の前に立つと、そのサイズからしか感じられない、絵の存在感があって、それが絶妙だと絵の存在自体に崇高な雰囲気さえ感じてしまう。ウフィツィ美術館でダ・ヴィンチの『東方三博士の礼拝』を初めて見たときは、まさにそういう印象をもった。

もう1つは、絵の未完成の具合だ。この絵は、ダ・ヴィンチが注文を受けて描きはじめたものの、完成が遅れ、最終的には、ダ・ヴィンチはこの未完成の絵を残したままフィレンツェを発ってミラノへ移住することになる。もちろん、ミケランジェロの彫刻で表されるような「未完成の完成」という美学も、大学で学んで知っていたので、未完成の絵画でも鑑賞に値するとは思っていた。

しかし『東方三博士の礼拝』の絵の前に初めて立って受けた絵の印象は、これは未完成ではなく、完成した絵だ、という思いだった。自分が連想したのは、東洋の水墨画だ。余白というものにも、絵画としての意味を認め、積極的に余白を活用して充実した空間を描くのが、水墨画の技法の1つだ。ダ・ヴィンチの『東方三博士の礼拝』を見て、その水墨画の余白と同じものを感じたのだ。

ダ・ヴィンチの絵の塗り残しは、ただの塗り残しではない。それどころか、そこに余白があるが故に、画面に緊張感があった。しかも水墨画は墨一色で描かれるが、『東方三博士の礼拝』もそれと同じく色がなかった。何もかも、東洋の水墨画が達成した美の技法と同じものがあった。だから、もしこの絵が完成していたらどんなに素晴らしいものになっていたか、残念だ、というそういう気持ちにはならなかった。完成はしていないが、この段階でも画家の技量の凄さが窺われる、という思いもなかった。この絵は、もうこれで十分に芸術作品として完了している。優れた水墨画に、あとここを描き足したら、というふうには思わないように、『東方三博士の礼拝』も、これ以上どこかを描き込んだら、という必要は全くないと、確信のようなものを抱いた。

## 構図がもたらす崇高さ

なぜ、絵を見て、確信などという言葉をもち出したかというと、それほどに、画面が充実した、力強い絵だったからだ。その絵の強さに感化されて、自分の心までもが強い心もちになってしまったのだ。それが、30代の頃に、初めて本物の『東方三博士の礼拝』を見たときの、自分の「発見」だった。

そして、息子と2人でやってきたフィレンツェで、この絵と何度目かの再会を果たした。『東方三博士の礼拝』の前に立つと、その画面から崇高さのようなものを感じる。その理由は、人物の描写の仕方、そのポーズや表情など、いろいろな要素によるのだろうが、そういう細かいこと以前に、絵の存在自体から漂ってくる崇高さの雰囲気がある。それを生み出しているのが「構図」の効果だ。絵画というのは具象画であっても、構図というものがあり、それが抽象画としての側面ももって、見るものに無意識にかもしれないが、ある

レオナルド・ダ・ヴィンチ
『東方三博士の礼拝』1481〜82年
ウフィツィ美術館（フィレンツェ）

効果を放つ。ダ・ヴィンチの絵には、そういう構図の力によって、崇高さが生まれる。『東方三博士の礼拝』の構図でまず目に付くのは、画面の上3分の1ほどが白っぽく、下の3分の2は黒っぽいというふうに画面が分割されていることだ。そして黒っぽい下の画面には、聖母子とその周りで跪く博士たちがいる。この人物群は、マリアの頭部を頂点として、三角形の構図になっている。マリアの頭部は、画面のほぼ中央にあるので、この三角形の辺を延長すると、ちょうどこの正方形の絵の、対角線の交点にマリアの頭部があることになる。とても幾何学的な構図なのだ。三角形というのは、もっとも安定した形・構図であり、この正方形の絵画の中の対角線、そしてその交点であるマリアの位置は、どっしりした存在の重みと安定感を醸し出している。

しかし、この絵にあるのは、そういうシンプルな幾何学図形の構図だけではない。この正方形と三角形が、安定つまり静けさを演出しているとしたら、この絵には、ダイナミックな動きも同時にある。人物たちのしぐさ、遠景にいる馬のポーズ、そういうものが画面に動きを生み出す効果となっているが、それだけではない。画面のダイナミックな動感は、構図によっても生み出されている。どういうことか？

この絵の構図にも、黄金比が隠されているのだ。まずは、画面上3分の1の白っぽい空間にある樹木に注目してほしい。繁る葉は、白い画面の中で、そこだけ黒い塊になっている。つまり存在感があって、画面を右と左に分ける役割をしている。この樹木の位置だ。画面の横への広がりの中で、その右を1とすると、左は1・6くらいになっている。黄金比だ。

では、画面の縦方向は、どうか。これは画面上3分の1ほどが白く、下3分の2が黒いと先にも書いたが、この比は、だいたい1対1・6、つまりこちらも黄金比だ。ということは、どういう構図なのか。

この正方形の絵画の中には、大小2つの正方形がある。つまり、こういうことだ。

小さな正方形が画面の右上に、大きな正方形が画面の左下にある。それによって、絵全体の正方形、左下の正方形、右上の正方形と、だんだんと正方形が小さくなっていき、形の連鎖による響き合い、のようなリズム感が絵に生まれる。

そしてこの大小2つの正方形によって区切られた図形の、残りの部分を見ると、これが黄金比の長方形つまり「黄金四角形」になっている。さらにこの画面にある黄金比を探せば、画面下3分の2の黒い部分それ自体が、黄金比の比率にもなっている。

レオナルド・ダ・ヴィンチ
『東方三博士の礼拝』1481〜82年
に補助線を描く
ウフィツィ美術館（フィレンツェ）

つまり、黄金比というものを、音楽でいう1つのメロディーとすれば、あちらに黄金比（メロディー）があり、こちらに黄金比（メロディー）があり、そのメロディーが様々なサイズでモザイク模様を作り、響きあってハーモニーを作り、そうやって絵画という小宇宙の中に音楽を奏でているのだ。

このような、レオナルド・ダ・ヴィンチの絵画に黄金比があるという指摘は、日本でも、柳亮『黄金分割』（美術出版社、1965年刊）や、向川惣一『レオナルド・ダ・ヴィンチーその原理と絵画理論に関する研究』（自費出版論文、2010年）などでも指摘されていることだが、そのような研究を念頭に、あらためて本物の絵の前に立って見てみると、まさに宇宙の音楽とでもいうべきものを目で堪能している至福の気持ちになってくる。

## 修復前と修復後

ところで、自分と息子が行ったそのときのウフィッィ美術館が、まさに修復を終えたばかりの『東方三博士の礼拝』のお披露目の展示の最中だった。そういうとき故に、修復を終えた新生『東方三博士の礼拝』だけでなく、修復以前と以後（つまり現在）では、どのような違いがあるのか、ということが写真を使ってわかりやすく展示されていた。つまり、修復前の絵が原寸大の写真によるレプリカで展示され、それが修復後の、お披露目になった新生『東方三博士の礼拝』と比べて見られるようになっていたのだ。さらに、この絵のX線撮影された画像も展示され、若きダ・ヴィンチのこの傑作絵画が、描かれた当初、どのようなものであったのか、そこに迫る（つまり修復によって達成された）成果が示されていた。その修復前のレプリカ、およびX線写真さらに修復後の絵画の展示は、こういうものだった。

たしかに修復前の薄暗い絵に比べて、修復後はいかに絵がくっきりとしたかが分かる。修復によって、この絵は蘇った。素晴らしいことだ。

しかし、美術作品の修復というのは、簡単なようで、あまり簡単ではない。修復の技術の問題ももちろん難題だが、修復とは何かという問い自体への明確な思想や哲学のような

『東方三博士の礼拝』の修復前と後の違いを伝えるウフィツィ美術館（フィレンツェ）の展示。2017年

ものが必要なのだ。汚れた古い絵、あるいは破損した古い美術作品、それを修復するというのは、その汚れや破損を、かつての状態に戻せば、それで修復で、別に思想とか哲学とか、面倒そうなことを考えなくてもできることなのではないか、と考えてしまいがちだ。特に修復の問題などについて、深く考えたこともない人や、そういう必要性に迫られたことのない人にとっては。しかし美術作品の「かつての状態」とは、どういうものかと考えてみれば、わかり切ったことのようで、よく分からない。昔の話なので、タイムマシンにでも乗って、その作品が完成した（＝あるいはお披露目された）現場にでも行かないと分からない、ということだけではない。

そもそも、美術作品とは何なのか？　長い歳月を経て、古色を帯びていい味になってくるものもある。しかしその古色を取り去ることだけに腐心し、それを達成したら「修復を終えた」と言えるものではない。それはかつての、大切な美を消してしまうことになる。では、現状の汚れや破損の進行を、これ以上進まないように止めて、なんとか現状を維持するのが修復なのか。近年の修復の現場では、そういう試みが主流になりつつある。最低限の汚れを落として、あとは腐敗や崩壊を止める。それが修復だ、と。しかし、修復されるのがもし５００年前の作品だとして、その汚れや崩壊を止めるのが、なぜ１００年前でもなく、100年後でもなく、いまなのか。その根拠などないだろう。修復とは、いったい、どこに「戻す」のがいいのか。これまでのレオナルド・ダ・ヴィンチの絵画作品の修復でも、1999年に、20年以上にわたって作業が続けられてきた、ミラノにある『最後の晩餐』でも、レオナルドが意図した鮮やかな色彩が蘇ったという声がある一方、この修復は汚れを「洗い過ぎて」、ダ・ヴィンチの絵がほんらいもっていたであろう深みまでも消されてしまった、という批判の声もあった。

ともあれ、修復は難しい。いったい、どのような修復後の姿が適切なのか、どんな状態の絵にするか。その作業自体が、ほとんど創造といえるようなところすらある。

## アニメーションの複数のコマが重なったような

さて、修復を終えたダ・ヴィンチの『東方三博士の礼拝』だ。この絵が修復を終え、長年の汚れやくすみが洗い流され、鮮やかなコントラストが蘇った。新生『東方三博士の礼拝』は、まず何よりも画面全体が「くっきり」としていた。やや褐色気味の全体の色調はそのままだが、塗った部分と、余白の塗っていない部分のコントラストがはっきりとしていた。余白の部分が、より明るく白っぽくなったため、絵全体の構図のバランスも、よく見えるようになった。そのモノトーンが作る画面全体の構図の配置が、いかに素晴らしいものであるか、実感できた。しかもレンブラント（1606～69年）の版画は小さかったが、ダ・ヴィンチのこちらの絵は大きい。小さな画面で構図を決めるのは容易かもしれないが、大きな、巨大と言っていいサイズの画面で、絶妙なバランスの構図に仕上げるのは並大抵の技量ではできない。ともあれ、修復され、生まれ変わったようになった絵画の構図を堪能した。

修復によって蘇ったのは、構図がくっきり見える、明暗のコントラストだけではない。描かれた人物が、それまでは汚れた霧の中にぼんやり霞んで見えていたのが、その姿や表情が、くっきりとした存在感をもって見えるようになった。この絵には、たくさんの人物たちが密集し蠢（うごめ）くように描かれている。その後、ダ・ヴィンチによって描かれるどの絵に比べても、これほど密集した人物群像の絵はこれ以上ないと言えるほどにたくさんの人物が描かれている。しかし、たくさんの人物がいるが、それは満員電車の中のような、狭いスペースに人々がひしめき合っている、という光景とはどこか違う。だいたい、複数の別の人間が、こんな風に体を重ねるように囲繞（いにょう）しあっていることなど、普通はない。それはどちらかというと、アニメーションの複数のコマが1つに重なり合っているような、動画の人物を、静止画にして重ね合わせたようなもの、と言った方が適切な見方なのではないか。つまりこれは、1人の（あるいは少数の）人物の「動き」を描いたものなのだ。美術史家の田中英道氏は、それを「二重人物像」という言い方で指摘している。そもそも、隣あう人物は顔の形が似ていて、それは同一人物で、つまり2人の人物と思われるものが、実は1人の「二重人物」だというのだ。しかし、この絵の人物の描写は、ところによっては「二重」どころではない。たとえば、跪いて幼児キリストが注ぐ聖水を飲む老人のすぐ上に、数名の男たちが描かれている。これらは髭が生えていたり、禿頭だったり、若者だったり、女性かと思える人だったり、明らかに別人の群像である。しかしそれは、アニメのコマ割りによって、1人の人間の動き、1人の人間の連続するポーズのように、1つにまとめて見ることもできる。さらに、それらの人物に年齢差があることから、これは数秒、あるいは数分といった間の人物の動きではなくて、人生のアルバムのような、若い人が老人になるまでの人生のダイジェストのようにも「1つ」に重なって見えてもくる。いや、そういう見方をしてみても、違和感はない、というべきか。

こういう動きの集合体は、そこにいる人々が発するどよめきの音や、空気の揺らぎや、息遣いや声や、いろいろなものが絵画という世界の中にひしめいているようでもある。

そして、そういう「動くもの」や「時間の流れ」の中に、静かに屹立し、不動の安定感を見せる人物（たとえば画面左下の）や、樹木という、人間や動物とは違う植物の存在感・静止感、そして岩や建築物というさらに不動の存在、そういういろんな要素が入り乱れることで、賑やかさや静けさ、動きや静止、そういう「世界そのもの」が絵画の中に現れている。

ということで、まさに傑作の絵画といって良い。

ということで、この『東方三博士の礼拝』について、短い言葉でまとめてみよう。3つの指摘をしてみたい。

未完成　それ水墨画

画面ただよう　崇高さ

すべて人　多数で1つ

という、レオナルド・ダ・ヴィンチの絵画『東方三博士の礼拝』を堪能して、美術館を出た。席を予約したミラノ行きの列車の出発時刻も迫っていた。息子と2人、夜がはじまりかけたフィレンツェの石畳の道を歩き、駅へと向かった。

## Ⅱ．ミラノ

### 『最後の晩餐』はミラノでしか見られない

そして、フィレンツェを発って、ミラノに着いた。

日本にいるときに予約しておいたミラノでの見学先は1つ。レオナルド・ダ・ヴィンチの『最後の晩餐』だ。この絵は壁画だから、ミラノに足を運ぶ以外に見る手段はない。現実的には、『モナリザ』も『聖アンナと聖母子』も、日本で見ることのできる機会はないだろう。『モナリザ』は、かつて一度だけ日本に来たことがあるが（1974年）、おそらくそれが最後だ。しかしそれらは板に描かれた絵画だから、世界のどこかに、そして日本にやってくる可能性はゼロではない。しかし『最後の晩餐』だけは、絶対にミラノで見るしかない。

レオナルド・ダ・ヴィンチの壁画の大作には、『最後の晩餐』と『アンギアーリの戦い』（1504年頃）の2つがある。しかし『アンギアーリの戦い』の方は消失していまはない

（おそらく、損傷が激しく、汚く消えかけたので、他の絵が上に描かれてしまった）。だから、壁画としてダ・ヴィンチ作品を見られるのは、『最後の晩餐』だけだ。ただしもう1つ、ミラノのスフォルツァ城のアッセの間というところの、天井と壁の境目あたりの角に、ダ・ヴィンチが描いたと考えられている樹木の絵がある。しかしこれもミラノだ。ともかくダ・ヴィンチの壁画を見るならミラノに行くしかない。

そこでイタリアは初めての息子を連れて、『最後の晩餐』のあるサンタ・マリア・デッレ・グラツィエ教会へと出かけた。見学に与えられた時間は、たった15分だが、1点の絵を見るだけだ。十分に鑑賞し味わうことはできる。予約した時間に受付に行き、壁画のある部屋へと入った。以前は、撮影禁止だった『最後の晩餐』だが、ここ数年の世界の美術館の動向に倣ってか、撮影自由になっていた。

『最後の晩餐』の写真は撮れない、と思い込んでいたので、一眼レフカメラもホテルに置いてきた。慌てて、携帯電話を取り出し、そのカメラで撮影をした。スマホのシャッターを押しながら、かつて取材で撮影が許可されたとき、『最後の晩餐』と一緒に写真が撮れるのは、これが一生で一度の機会だと思ったが、撮影可の波は、ここまできたのか。こうなるとそもそも「撮影禁止」って何だったのだろう、と思った。

## 『最後の晩餐』の引っ込む３Ｄ

レオナルド・ダ・ヴィンチの『最後の晩餐』は、ダ・ヴィンチが45歳頃の１４９５年〜

レオナルド・ダ・ヴィンチ
『最後の晩餐』1495〜98年頃
サンタ・マリア・デッレ・グラツィエ教会（ミラノ）

98年頃に描かれた。横幅は9メートルほどもある巨大な作品で、当時としては新しい技法の油性テンペラで描かれた。

この絵については、現在の中学2年生向けの国語の教科書に、自分が書いた「君は『最後の晩餐』を知っているか」という文章が載っている。光村図書の教科書で、全国の7割ほどの中学校で使われているので、日本の中学生の7割は、自分が『最後の晩餐』について書いた文章を、楽しんでか嫌々ながらかは分からないが、ともかく教室で精読していることになる。掲載がはじまって10年ほど経ったので、いまの14歳から24歳くらいの世代の人たちだ。

『最後の晩餐』に描かれているのは、真っ白なクロスのかかった長いテーブル、その向こうに13人の人物がいる。まず目に入るのが、このテーブル（というか真っ白いテーブルクロス）で、画面の中心にあたかも人体における背骨のように、画面に横になっている。白い四角形が、いきなり目に入ってくるのは、ドラマチックな視覚体験で、ともかく『最後の晩餐』の造形的な鑑賞は、そこからはじまる。

描かれた人物に目をやると、中央にいるのがキリストで、右に6人、左に6人、その弟子が晩餐の席についている。キリストが、おもむろに口を開き、「この中に自分を裏切ったものがいる。そのため明日、自分は十字架に磔の刑を受ける」と告白する。それを聞いた弟子たちが動揺する場面を描いたもので、明日死ぬ運命なので、これが最後の晩餐、という訳だ。

長男は、今回が初めてのイタリア旅行で、つまり初めて『最後の晩餐』を見た。じつは自分にはもう1人、息子がいて、その次男は兄と同じ東京藝術大学で音楽を専攻した。中学生だった次男が、音楽の交流でイタリアにホームステイし、『最後の晩餐』を見たときの感想を思い出した。この名画には、中学生の心も摑む力があるらしく、帰国した次男は「あの絵って、壁から飛び出して見えるけど、どうして？　ふつう3Dって、画面の手前に飛び出して見えるけど、あの絵は壁の向こうに3Dがあった、どうして？」と、ダ・ヴィンチの研究をしている父に、盛んに質問してきた。

レオナルド・ダ・ヴィンチは、遠近法の研究に取り組み、『最後の晩餐』は、その集大成とも言える作品だ。この絵は、よく見ると、キリストのこめかみのところに、釘をさしたような穴が空いている。ダ・ヴィンチは、どうやらその釘に紐を付け、そこから横に、斜め上に、さらには斜め下へと紐を伸ばし、その紐の線に沿って、壁と天井の境目の線などを引いた。つまり一点遠近法の作図をした。まっすぐな廊下の光景などで、床や天井や壁が奥に行くにつれて、幅が狭くなり、1点へと収斂していくように見える。あれを絵画に応用したのが、一点遠近法の技法となる。それは、遠くのものほど小さくなる縮小の遠近法という言い方もされる。この遠近法の理論と技法を完成したのがダ・ヴィンチで、『最後の晩餐』が、その最適な作例なのだ。

その息子が2～3歳の頃に、こんなことがあった。ある日、近所の公園のベンチに次男と2人で座り、若者2人がキャッチボールをしている光景をぼんやり眺めていた。すると息子が自分に質問してきた。キャッチボールをしている若者をさして、「あの人、大人なのに、どうして小さいの？」というのだ。

それは遠くにいるから小さいのだろうと説明したが、もしかして幼児というのは、遠近法で世界が見えていないのではないか、とハッとした。目で見た通りのありのままの比例、という言い方をすれば、息子の見方の方が正しく、自分たち大人は、いろんな知性や経験で、世界を勝手に作り上げているのではないか、と。遠近法の説明を聞いた息子は「大人のように」世界が見えるようになったかもしれないが、それで1つ、世界がつまらなくなったかもしれない。

そんなふうに次男とは『最後の晩餐』をめぐって、遠近法をめぐって、子育てのときの思い出があった。しかし美術を専攻している長男の方は、大学院生になるまでイタリアに行ったことはなく、今回が初めて見る『最後の晩餐』となった。

## 色彩による遠近法

ところで遠近法の話だが、じつは「遠くのものは小さい」「1点に収斂する」という一点遠近法以外に、『最後の晩餐』には、別の遠近法の手法も使われている。色彩の遠近法だ。

『最後の晩餐』は有名な絵だから、ミラノで見たことがなくても、ほとんどの人は、どういう絵か、ご存じだろう。写真やテレビで、何度も見てきたはずだ。しかし本当に「よく見て」きただろうか？　たとえば中央のキリストが着ている服は何色か？　紫色？　茶色？　それとも赤？　青？　お分かりだろうか。キリストは赤い服を着ている。さらに片方の肩に青い布が掛かっている。ともあれ、赤い服を着ている。

じつは、色にも遠近法というのがあって、赤は手前に飛び出して、青は奥に引っ込んで見える、という効果がある。そして『最後の晩餐』では、赤い服を着た背後の遠景に、青い山がある。この赤い服と青い山が、色彩遠近法の効果で、さらなる遠近法空間の効果を生んでいる。そんな技法によって、『最後の晩餐』は驚くべき効果を発揮している。

さて、この白いテーブル（クロス）の話に戻るが、ともかく9メートルもある画面を、真っ白い四角が横に伸びて、画面を切り裂いているような構図は、実物を前にすると、その白い四角形の存在感は圧倒的だ。そして「白い四角形」というものに目を向けて、この絵には他にもどんな白い四角形があるかと見ると、壁や天井など、たくさんの白い四角形があることに気づく。そして、それを四角形という面ではなく、その辺である「線」に着目して見る。垂直線、水平線、斜めの線、いろんな線（しかも直線）が画面のあちこちで交差している様が見えてくる。暗いステージに、真っ直ぐな光のスポットライトが何本も降り注ぎ、それが垂直や水平の線を作っている。そんなふうに構成された画面でもある。この絵の背後には、そんな抽象画のようなと言っても良い、線の交錯、そして線によって形作られる四角形が、あちこちにある。それらを見ているだけでも飽きないし、愉し

レオナルド・ダ・ヴィンチ
『最後の晩餐』1495〜98年頃／部分
サンタ・マリア・デッレ・グラツィエ教会（ミラノ）／120ページも

くなってくる。

そして、そういう直線ばかりの画面にいる、13人の人物。その人物の描写も見てみよう。

先にも書いたが、人物は、テーブルに沿って、横一線に配されている。中央にキリスト、その左右にそれぞれ6人の人物（＝キリストの弟子）がいる。弟子の1人の裏切り（＝密告）によって、明日、キリストが磔刑になる。「この中に、自分を裏切ったものがいる」とキリストが語り、弟子たちの間に動揺が広がる。その瞬間を描いたのが、ダ・ヴィンチの『最後の晩餐』という訳だ。

驚いた弟子たちは、あるものは立ち上がり、あるものは両手を広げ、あるものは硬く固まる。そういう人々の心理ドラマが、劇的に描き上げられている。ドイツの詩人ゲーテは、イタリアを旅してこの『最後の晩餐』を目にして、人々の動作や姿勢の描写、特に腕や手のポーズに「イタリア人らしい気質」を読み取って、その表現力に感嘆した。ゲーテには、心の内面というのは、大袈裟なポーズで表現するものではない、というドイツ人らしい気質が染み込んでいた。そんなゲーテがアルプスを越えて、南のイタリアへと旅して、まずはその明るい光に驚き、そして人々の明るい心の表現にも驚いた。『最後の晩餐』は、そのイタリアらしさが絶妙に描かれているというのだ。

レオナルド・ダ・ヴィンチというと、老人になってからの自画像デッサンのイメージが強く、内省的な暗い性格の人物と考えてしまいがちだ。しかしゲーテが『最後の晩餐』から読み取ったのは、そんなレオナルド・ダ・ヴィンチと言えど、やはりイタリア人気質を体現した絵を描く、ということだった。しかも、ただ大袈裟なポーズをした人物が描かれていただけでなく、13人の人物が、それぞれ別の腕のポーズをする、というその多様性の描き分けの巧みさにも、ゲーテは感嘆した。

## 回内と回外、解剖学から見る腕のポーズ

ちなみに、『最後の晩餐』の、キリストを含む13人の腕のポーズだが、前腕の回内(かいない)・回(かい)

外（がい）という観点から見ると、それはまた驚くべき描かれ方をしている。腕を下げたとき、手のひらの親指が内側にあるのが「回内」、親指が外側にあるのが「回外」で、その姿勢から手首を固定したままで、手首を曲げても、肩を上げても、回内はそのまま回内で、回外はそのまま回外なのだが、なんとキリストの（絵に向かって）左側にいる6人の腕は全部が回内で、逆に右側にいる6人は回外なのだ。さらにキリストの右腕は回内、左腕は回外で、それぞれの側にいる人々と一致している。まるでキリストが指揮者か演出家のように、「こちら側の人は、はい回内！」「こちら側は、はい回外！」と指示を出して、皆が従ったかのような、統一された演出がされている。

そういう研究成果を念頭に、改めて、本物の『最後の晩餐』を眺めると、そこにはゲーテがいう人々の心理のドラマの多様性と、逆に、統一感とも言えるシンプルな左右の配置が、不思議な響きあいを奏でて、ああ素晴らしい一流の芸術というのは、こういう構造を秘めたものなのだと、こちらも感嘆させられる。

そんなことをあれこれ考えながら、『最後の晩餐』を鑑賞していると、息子が語りかけてきた。この絵の下のアーチ型の形だが、「これはマルセル・デュシャン（1887～1968年）の作品と同じ形なのではないか」と。

現代美術家マルセル・デュシャンの作品『遺作』(1946〜66年)は『最後の晩餐』へのオマージュ?

『最後の晩餐』という壁画は、1943年8月には第2次世界大戦で連合軍から爆撃を受けて、壁画のある建物は破壊されたが、壁画だけは奇跡的に残った。17世紀には、隣の部屋との出入り口のため、絵の下の壁に穴が空けられ、そのときに絵の一部が破壊された。

息子が言った「絵の下のアーチ型の形」とは、この扉の跡が埋められ、再び壁になった、しかし壊された壁画の部分は、もう消えてなくなっていた、その形のことだ。これがアメリカのフィラデルフィア美術館にあるデュシャンの『遺作』(1946〜66年、それは木の扉の穴から、向こうにある裸体が横たわる森のジオラマを覗く、という作品)の、木の扉と形が似ている、というのだ。もちろん歴史的な順序からいえば、『最後の晩餐』の扉の跡が先で、デュシャンの『遺作』はその後になる。そういう見方をすると、デュシャンはダ・ヴィンチの『最後の晩餐』を意識して、ある意味では『最後の晩餐』のパロディとして、あるいは『最後の晩餐』へのオマージュとして、『遺作』を制作したということになる。

息子は、ツイッターにその日の感想を投稿し、こんなふうに書いていた。

「デュシャンなら、そこまで考えてもおかしくないし、そう思って見ると、上のキリストがデュシャンの引き立て役に見える」

「最後の晩餐の、下のグレーのところは、1652年にドアを付けるために絵を潰して穴が空けられたそうです。そしてそれは更に後年に、グレーのコンクリート？ で潰されます。ここから運命的な因果を読み取り、意味としてアーティストがインスパイアされてもおかしくないなあ、とか見ながら考えてました」

この息子とは、彼が高校1年生のときに「大学では現代アートを専攻したい」と言い出し、藝大受験の準備をはじめたのだが、それなら現代アートの極致を見せないといけないと、デュシャンの代表作のほとんどがあるアメリカのフィラデルフィア美術館に息子を連れて行き、ともあれ、分からなくても良いから、その目にデュシャンの本物を見せてやろうと旅したことがあった。そんな息子が、今度はダ・ヴィンチの『最後の晩餐』の前に立って、デュシャンの芸術との関係を語るようになった。個人的には、これで息子への（親からの）芸術の教育は完結したな、という思いになったが、それはともかく『モナリザ』に髭を付けた作品を作ったりしたデュシャンのことだし、その創造の底には『最後の晩餐』との関係が秘められているのもあり得るな、と息子の視点から教えられたりもした。

そんなふうにして、たった15分間の『最後の晩餐』鑑賞の時間も終わった。

ここでもまた、『最後の晩餐』について、12音の短い言葉で、その特徴をまとめてみよう。構図と、遠近法と、人物描写の3つについて。こうだ。

白くかがやく　一直線

奥へとふかく　3D

心のうごき　手のうごき

## ミケランジェロ、4体のピエタ

さて、ミラノではダ・ヴィンチが描いた樹木の壁画を見るために、スフォルツァ城にも行った。いや、それ以上に、そこにはミケランジェロの最後の彫刻『ロンダニーニのピエタ』(1559年〜未完)がある。それを見に行ったのだ。

ミケランジェロは、その生涯にわたって、それぞれの年齢のスタイルに応じるかのように、4体のピエタ像の彫刻を作った。ピエタは、我が子キリストが、磔刑で亡くなり、その死を悲しんでいる母マリアとの母子像だ。

バチカンのサン・ピエトロ大聖堂にある『サン・ピエトロのピエタ』(1498〜1500年)は、若き20代のミケランジェロの作で、その精巧でリアルな造形が、天才的な技巧をもった彫刻家の登場を告げている。

フィレンツェのドゥオーモ博物館にある『フィレンツェのピエタ』(1547年〜未完)と、アカデミア美術館にある『パレストリーナのピエタ』(1555年〜未完)は、壮年期の力強い造形となっている。アカデミア美術館には、つい先日、フィレンツェで訪れたばかりだった。

そしてミラノのスフォルツァ城にある晩年の『ロンダニーニのピエタ』。これは未完成

ミケランジェロ・ブオナローティ
『ロンダニーニのピエタ』
1559〜未完
スフォルツァ城(ミラノ)

（の完成）の彫刻が多いミケランジェロの作品の中でも、特に未完成の度合いが大きい。それどころか、制作の途中で構想が変更になったのか、キリストの腕は、胴体と違うところに切り離され、その造形は破綻しているとまで言える彫刻である。しかし、この「破綻」とも言える造形性が、この彫刻の何よりの魅力にもなっている。

ピエタ像というのは「悲しみ」を造形したものだ。だから、その彫刻は顔の造形がリアルだとか、細部の仕上がりが精巧だ、とか以上に、いかに「悲しみ」がそこに湛えられているかということが大事になってくる。もちろんミケランジェロの若いときの作品『サン・ピエトロのピエタ』も、単にリアルな描写の彫刻ということではなく、マリアの姿があまりに若すぎて、青年とも呼べる年齢のキリストの遺体を抱きかかえているのは、現実的ではない。つまり、そこには1つのフィクションがあった。そのフィクションの設定によって、見るものの心に迫ってくる力が作り出される。

壮年期のピエタ像でも同じだ。それなりの良さはある。しかし、この晩年の、というよりはミケランジェロの生涯で最後の、未完成で破綻した造形のピエタほど、悲しみが迫ってくるものはない。腰を曲げ、死んだ息子キリストを抱きかかえ、「たいへんな人生だったね。もういいよ。もうお家に帰ろう」とでも囁いている「母の姿」がそこにある。その造形は、見る角度によっては、三日月のようにカーブする構図に納められ、心の軌跡を抽象形によって視覚化しているようでもある。そして腕が別のところにあり、彫り残しだらけの白い大理石の塊。それは死というものが（ここではミケランジェロの死）、人生の道のりを切り、中断させるという人間存在そのものへの悲しみも造形に内蔵されている。

レオナルド・ダ・ヴィンチの『最後の晩餐』と、ミケランジェロの『ロンダニーニのピエタ』。この2つの芸術作品があるだけで、自分にはミラノという町は、1つの聖地に思えた。

そんな風にして、息子とのイタリア二人旅を終えた。イタリアの料理も、おいしかった。

著者と長男のダ・ヴィンチをめぐる2人旅

## 解剖学……ダ・ヴィンチの絵画の科学Ⅰ

ここで「美術と解剖学」の話を書きたい。西洋近代の美術のアカデミーでは、解剖学の授業があった。

ふつう、解剖学というのは医学の基礎科目で、美術とは別の世界のもの、と考えられがちだ。しかし画家や彫刻家の卵たちは、その基礎技術を磨くために、解剖学を学んだ。このカリキュラムは、近代日本の美術学校でも引き継がれ、明治時代の東京美術学校（東京藝術大学美術学部の前身）では、校長の岡倉天心（1868〜1913年）が、小説家で医学者でもあった森鷗外（1862〜1922年）に直々に手紙を書き、ぜひ解剖学の授業を美校生にして欲しいと依頼している。ドイツから帰ったばかりの若き鷗外は、数年間ではあったが「美術解剖学」の授業を担当し、その教科書（ドイツのコールマンという学者の美術解剖学書の翻訳に近い内容だが、しかし鷗外オリジナルの本）を残してもいる。東京美術学校の美術解剖学は、洋画家の久米桂一郎（1866〜1934年）に引き継がれ、美術解剖学の授業は、いまも行われているのだ。

なぜ画家や彫刻家、デザイナーに解剖学の勉強が必要なのか。それは、人体を描いたり造形するには、体の内部構造まで知り、それを人物像の描写に活かすことが大切だからだ。

もちろん、美術の人体像は、科学の標本や模型作りとは違う。解剖学的に正確な人体造形が、すぐれた美術作品の創作になるとは限らない。しかし、プロの美術家として表現する際には、解剖学が分かっているにこしたことはないだろう。

どうして、解剖学は美術と結びついたのか。そのきっかけの1つが、レオナルド・ダ・ヴィンチの存在だったと考えられる。画家レオナルド・ダ・ヴィンチは、200点ほどの解剖手稿を残した。そこから、おそらく30体ほどの人体解剖をしたと推定される。ダ・ヴィンチの解剖図は精緻で、当時の解剖学の水準から見て、それは「解剖学」という学問や、解剖学の先生から学んだものではなく、明らかに、自身の目で本物の死体を解剖し観察し、それを描いたとしか考えられない。

レオナルド・ダ・ヴィンチの時代、画家と解剖学者は近い関係にあった。解剖学は、視覚的な情報を扱う学問で、その研究成果をまとめ伝えるにあたっては、図示をすることが必須である。しかしすべての解剖学者が絵やイラストが得意な訳ではない。そこで画家が解剖の現場に立ち会うことになる。画家にとっては、本物の人体から、体の内部構造を学ぶ、またとない機会を得られることになる。ダ・ヴィンチも、初めは解剖学の必要性を工房の師であるヴェロッキオから学んだ。しかし当時の美術家たちの解剖学の理解をはるかに越えて、解剖学者の知見すらも越えた、オリジナルな解剖学の世界を築き上げた。ダ・ヴィンチの手稿は、死後もしばらくは公開されることもなく、後世への影響はなかったとも言われる。しかし、1543年に出版されたアンドレアス・ヴェサリウスの解剖学書、それは近代解剖学のはじまりであると高く評価されているが、その解剖図の描き方などを見ると、ダ・ヴィンチが独自に開発した視点の影響が多く見られる。たとえば、骨をバラバラにして、全身骨格という構造全体として見るのではなく、個々の骨の形態を探求する視点や、あるいは手首のところで切断した骨の、その切断の仕方（＝描き方）が、1523年に出版されたベレンガリオ・ダ・カルピの解剖書にそっくりのものがあり（ダ・ヴィンチは1519年に没した）、その解剖書がヴェサリウスに大きな影響を与えたことを考えると、解剖学の発展のルーツは、ダ・ヴィンチであったとわかる。同じく、美術の分野においても、美術と解剖学を結びつけて学ぶやり方は、ダ・ヴィンチ以降に定着していったのだ。

ともあれ、画家が、その技法の基礎として解剖学を学ぶ、ということはダ・ヴィンチ以降、一般化していった。

## ダ・ヴィンチの解剖図の他に類を見ない美しさ

では、ダ・ヴィンチの解剖学は、どのような内容のものだったのだろう。残された解剖図を見ることで、そのことを考えてみたいと思う。

ダ・ヴィンチは、人生のいくつかの時期に集中して解剖学の研究（＝死体解剖）をしたと思われ、その記録である解剖手稿は、書かれた時期によって、

「解剖手稿Ａ」（１５１０年～１５１１年頃）、44紙葉
「解剖手稿Ｂ」（１４８９年～１５１０年頃）、18紙葉
「解剖手稿ＣⅠ」（１５０９年～１５１０年頃）、９紙葉
「解剖手稿ＣⅡ」（１５１３年頃）、22紙葉

となる。描かれた年代順で言うと、Ｂ→ＣⅠ→Ａ→ＣⅡという順だ。この中でも、レオナルド・ダ・ヴィンチの解剖学探究の頂点とも言えるのが「解剖手稿Ａ」で、特に骨格や筋肉について、前人未到とも言える説明図になっており、美しさ、わかりやすさ、印象の強さなど、イラストとしても解剖学としても、他の追随を許さないところがある。

いくつかの図を、描かれた順に見てみよう。まずはダ・ヴィンチ初期の解剖学研究の記録である「解剖手稿B」のもの。

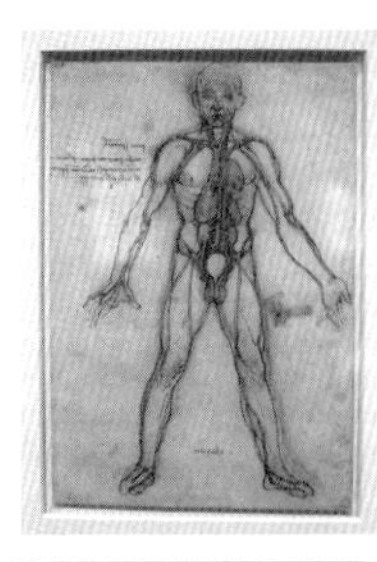
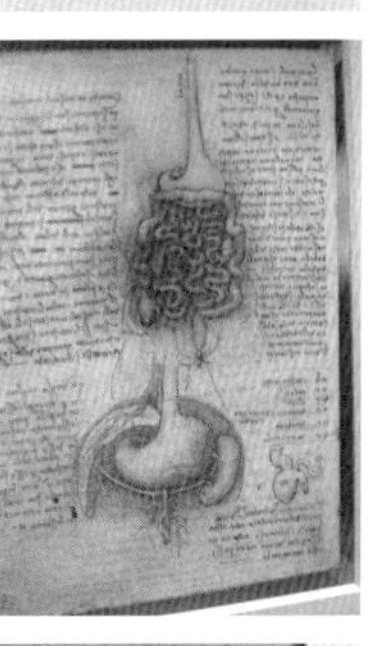
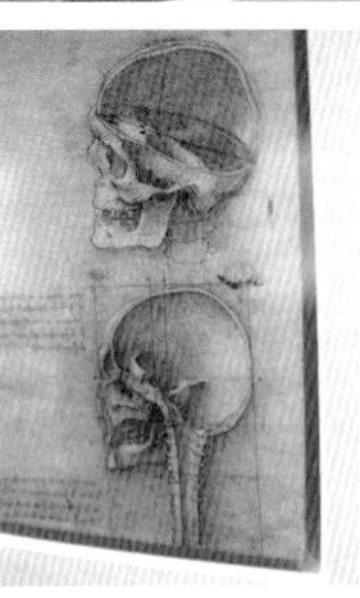
「解剖手稿B」のスケッチ。男性の内臓、消化器系のアップ、頭蓋骨

たとえば男性の内臓を描いたもの、消化器系のみをクローズアップして描いたもの、さらには頭蓋骨を描いたものなどがある。まだダ・ヴィンチの解剖学研究も初期の段階であり、彼自身の鋭い観察眼による発見の成果を描いたというよりは、人体解剖で概略を見て、あとは当時の定説とされていた知見をそのままイラストにした、というところもある。たとえば、男性の全身像に内臓を重ね合わせて描いたものでは、肝臓と心臓のつながりなど、誤った考えをそのまま図にしてしまったところもある。それも致し方ないことで、当時の解剖には、死体の腐敗を防ぐ薬剤も開発されておらず、いわば生の肉が腐っていく臭いに

耐えながらの、時間的にも制約のある解剖で、すべての細部まで確認することはできず、あとは想像と、それまでの説にしたがって描くしかない、というところがあったからだ。他方、頭蓋骨の描写は、細かいところまで正確に描きこまれている。これは筋肉や内臓と違って、骨というのは腐敗することがないので、じっくりと観察でき、また入手も容易であったと思われるので、きちんと見て描いた故に、このような精緻な解剖図が描けたのだろう。しかし、この図に描かれた補助線などを見ると、ダ・ヴィンチは、頭の中に「魂のありか」を探し、それは観察で得られた知見ではなく、勝手な思い込みで描いたもので、やはり初期の解剖図に共通する、誤りのあるものではある。しかし、その図の美しさは、他に類がなく、デザインやイラストとしては、現代でも誰も真似できない、高い水準のものになっており、これらの解剖図に高い価値があることは、現代においても言うことができる。

### 現代にも共通する骨と筋肉への興味

次に「解剖手稿A」。これは50代の脂の乗りきったダ・ヴィンチによる、その描写法、解剖学的な観察力など、すべての点で高い水準にあるものだ。

この「解剖手稿A」では、骨や筋肉についての記述が、その大部分の内容を占めている。44枚もの紙葉があり、分量も充実している。この「骨と筋肉」というのは、現代の（あるいは近代の）美術解剖学と共通するテーマだ。人体の解剖には、運動系（骨と筋肉）、循環器系（心臓と血管）、呼吸器系（肺と気管）、脳・神経系、泌尿・生殖器系など、さまざまな系統があるが、その中で、人体の外観の形の基本を作っているのは骨格であり、そこに体表の凹凸のまさに「肉付け」をしているのが筋肉で、解剖学で「運動系」と言われる骨と筋肉（つまり体の動きとは骨の動きであり、骨を動かすのは筋肉）は、運動を生み出す器官であるだけでなく、体の形態を作るもので、これが画家や彫刻家にとって、必要な知識となる。

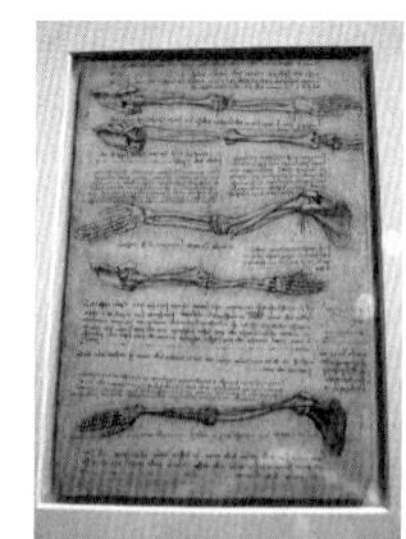

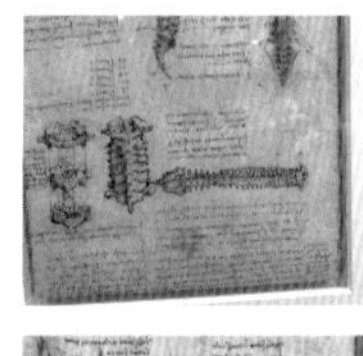

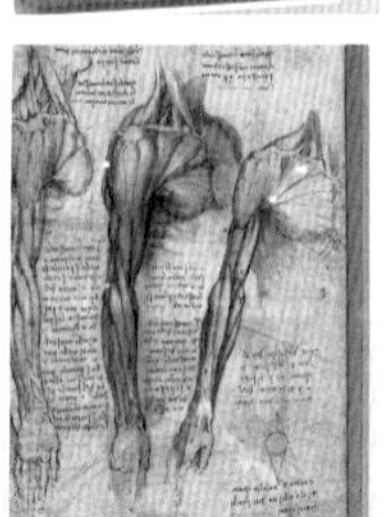

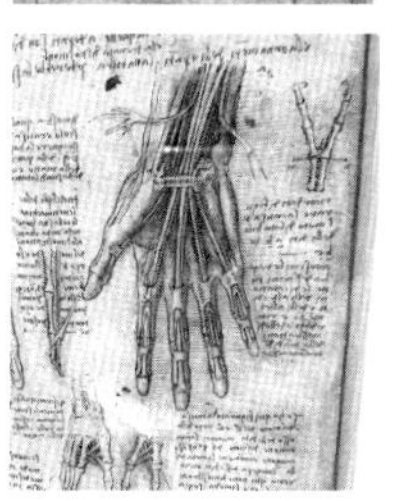

「解剖手稿A」は、「骨と筋肉」のスケッチが大部分を占める

## 『モナリザ』制作の時期と重なる妊婦や胎児の研究

ダ・ヴィンチは、1510年頃の時期に、この骨格と筋肉の研究に集中した。ただし1510年といえば、画家としてのダ・ヴィンチの生涯において、最後期ともいうべき時期で、死のときまで描き続けられた『モナリザ』も、描きはじめられたのは1503年で、この「解剖手稿A」は、そのずっと後に取り組まれたものであった。つまり近代・現代において、美術家が解剖学を学ぶのは、若いとき、つまり美術の修行期間のようなときで（現代でいえば、美大生のときで）、その素養をベースに自身の作風を築き上げていく訳だが、ダ・ヴィンチは逆に、画家としての生涯の仕事をほぼ成し遂げた後に、美術解剖学的な解剖学の研究をした、ということになる。ふつう、美術解剖学の授業では「人体がうまく描けるように、解剖学を学ぶ」ということになるのだが、ダ・ヴィンチは「人体がうまく描けた」後に、あたかも人体そのものの研究に興味が湧いたかのように、あるいは人体を絵画に描くことで、人体の解剖学的な形態や構造に興味が湧いて、解剖学の研究を行った（はじめた）ということになる。

そして晩年に近い時期に描かれた「解剖手稿C」。こちらで取り上げられているのは心臓と胎児だ。描かれた心臓は、人のものでなく牛の心臓で、さすがにこの時期になると解剖学への視点も深まってきて、精緻で美しい図が描かれている。心臓も臓器なので、血液が送られる血管があるが、心臓の表面を覆う血管が、植物の根のように枝分かれしていく様などが細かく明快に描かれている。

また「解剖手稿C」には、子宮の中の胎児を描いたものもある。まん丸な子宮は、やや概念的な描かれ方だが（ここまでまん丸な人の子宮はない）、胎児のポーズはいかにも胎児らしく、これはダ・ヴィンチが想像で描いたものでなく、実際の胎児を観察する機会があったと思われる。自分は若い頃、東京大学の解剖学教室で研究生活を送っていたことがあるが、そこに標本室という部屋があり、妊婦の体を切り開いて、子宮に胎児が入った標本が保管されていた。アルコール漬けになったそれは、つまり妊娠していた女性が何かの理由で亡くなり、胎児とともに標本として残されたものかと思うが、これと同じものをダ・ヴィンチも見たのか、と若い頃に解剖学の研究に励んでいた自分も思ったものだった。

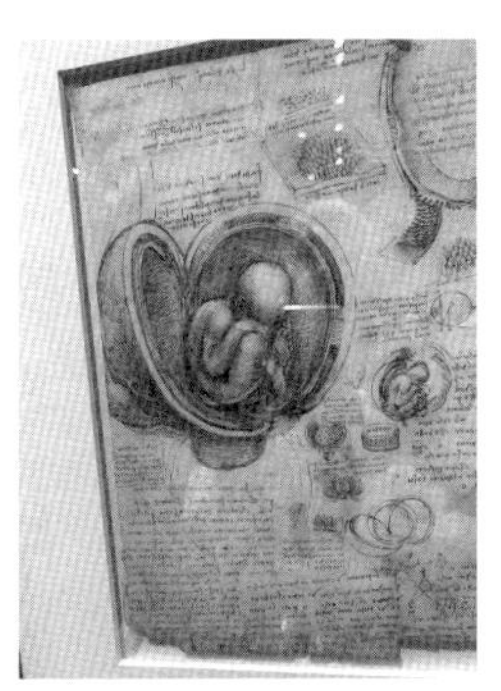

「解剖手稿C」には、子宮の胎児も描かれている

ダ・ヴィンチの胎児研究は、『モナリザ』を描き

はじめて数年後のことかと考えられる。ダ・ヴィンチは、初め実在するフィレンツェの貴婦人の肖像を描いた訳だが、フィレンツェを離れた後もその絵を手元に置き、折に触れ加筆修正した。フィレンツェで描きはじめた頃の『モナリザ』と、いまルーブル美術館で見ることのできる、最終的な形態の『モナリザ』がどれほど別のものになったのか、その程度は想像することしかできないが、ともあれダ・ヴィンチは、いつの頃からか、実在するフィレンツェの貴婦人の肖像ではなく、ダ・ヴィンチの頭の中にある「永遠の女性像」のようなものに、その絵を変貌させていったと思われる。その過程で、ダ・ヴィンチが妊婦や胎児の研究をしていた時期は、『モナリザ』制作と重なっていたと考えることも、無理のない推論だ。しばしば（いまある）『モナリザ』は妊娠した女性の肖像だ、と言われることがあるが、ダ・ヴィンチは、人間の肖像の究極の姿として、極限のモチーフとして「妊婦」というものに興味をもち、目で見ることのできない、そのお腹の中にいる胎児の姿を想像するために、このような子宮と胎児の研究をしたのかもしれない。

ともあれ、ダ・ヴィンチの解剖学研究の成果は、いまも200点ほどの『解剖手稿』として残されている。

# 第3章

## 2019年夏、ロンドン
## ……ダ・ヴィンチの手稿

## ダ・ヴィンチ、501年目の旅

2019年、レオナルド・ダ・ヴィンチが没して500年が経った。

ダ・ヴィンチは、1519年5月2日、フランスのアンボワーズでその生涯を終えた。2019年は、ダ・ヴィンチが没してちょうど500年目という訳だ。そういう節目に、世界各地でレオナルド・ダ・ヴィンチに関する様々なイベント、展覧会、その他の企画が催された。本の出版も相次いだ。その中で、ロンドンのナショナル・ギャラリー、クイーンズギャラリー、パリのルーブル美術館では、かつてない規模・内容のレオナルド・ダ・ヴィンチ展が開かれた。とくにルーブル美術館での展覧会は、過去最大のダ・ヴィンチ展という言い方がされた。

自分は、その2019年の夏にロンドンへ、そして12月に再びロンドンへ、そしてパリへと旅した。2019年5月2日がダ・ヴィンチ没後500年の日だとしたら、その年の夏と冬の旅は、いわば、ダ・ヴィンチ501年目の旅である。

それはまた、『モナリザ』への、501年目の旅でもある。なぜなら、『モナリザ』は、ダ・ヴィンチが51歳の時に描きはじめられ、それから晩年までずっと、筆が加えられ、描き続けられてきた。つまり、『モナリザ』の制作が終わったのは、まさに1519年、ダ・

ヴィンチが没したときである。だから、この旅は、『モナリザ』501年目の旅でもある。

この本の後半では、自分が見た、その「ダ・ヴィンチ、501年目の旅」について書いてみたい。まずは、2019年夏の、ロンドンへの旅から。

それは、滞在は、たった2日という短いものだった。目的は、ダ・ヴィンチ没後500年を記念した2つの展覧会、クイーンズギャラリーと大英図書館でのものだ。とくに、クイーンズギャラリーのレオナルド・ダ・ヴィンチ展は、ダ・ヴィンチの解剖図など豊富なコレクションを誇るイギリス王室の至宝が、惜しみなく展示されているということで、是非とも行きたいと、この旅を計画したのだ。

夜にロンドンに着いて、翌日の午前中、まずは大英図書館に向かった。ロンドンに着いたばかりということもあって、どの風景も、どの人々も新鮮に見えた。ふと、目の前をおばさんが通り過ぎた。そのファッションに目を奪われた。一瞬、ヴィヴィアン・ウエストウッド（1941年〜）が歩いているんじゃないかと思った。それほどにパンクで、しかもおばさんなのだ。日本なら、若い女の子が、メイドの格好で歩いていることもある。しかしロンドンでは、若い子ではなく、おばさんだった。しかも、ただパンクなだけではない。イギリスの伝統も感じるし、気品もある。ああ、こういう気概が生まれてくるのがロンドンなのか、と思った。それが、その夏の、自分と「ロンドン」の出会いだった。世界には、日本の、自分の日常とは違う、いろんな空気が流れているのだ。

それから、大英博物館近くのラッセル・スクエアという公園を横切って、目的地に向かった。晴れた日で、木漏れ日が公園の芝生に落ちて、ベンチに仲良さそうな家族４人が並んで座っていた。ああ、ここもロンドンだ、と旅人初日の目には、何もかもが新鮮に映った。

(上)イギリスの伝統と気品を感じさせるパンクファッション
(下)大英博物館近くのラッセル・スクエア

そして大英図書館に着いた。展覧会の名前は、「LEONARDO DA VINCI：A Mind in Motion」。どうやら「動き」をテーマにした展覧会のようだった。

展示されていたのは、絵画作品ではなく、ダ・ヴィンチの原稿だった。レオナルド・ダ・ヴィンチは、絵画の作品数は少なく、67歳まで生きた人生の中で、十数点ほどの絵画しか残していない。では、怠惰な生活を送って生産量が少ないのかといえばそうではない。ダ・ヴィンチが書いたノートや紙片、つまり「手稿」は、約8000ページが現存してい

大英図書館ではダ・ヴィンチの手稿の展示が行われていた。2019年

る。そして弟子のフランチェスコ・メルツィが、ダ・ヴィンチの手稿の絵画論に関するものを整理して書き写しているのだが、そのメルツィが書き残した文章のかなりのものが、現存する手稿からは確認できない。つまり、8000ページの手稿が全てではなく、おそらくその倍の1万6000ページくらいの手稿を、ダ・ヴィンチは書いたのではないかと推察される。

計算してみよう。ダ・ヴィンチは、67歳で没した。少年時代は除いて、手稿を書いていたのは40年間だとする。それは日数にすると、40年×365日、つまり1万4600日になる（閏年は省いた）。とするとダ・ヴィンチは、1日に1ページほどの手稿を書いていた、ということになる。これは、相当の分量だ。我々は、1日1枚のメモなどを、40年にもわたって書き残すだろうか。しかもダ・ヴィンチの手稿のページには、縦に横に、びっしりと文章が書かれ、かつたくさんのスケッチやイラストや図表も描かれている。しかも、書かれている内容は、深い。これは相当に勤勉なものでなければできないことだ。

## 膨大なダ・ヴィンチの手稿＝ノート

そういう手稿が、2019年の夏のロンドンで、ダ・ヴィンチ没後500年を記念しての展覧会で展示された。図書館という、本をたくさん集め、それを利用・閲覧できる施設で、そのような手稿が展示されていることは、たしかにしっくりくる。そこで「LEONARDO DA VINCI : A Mind in Motion」という展示がされていたのだ。

ダ・ヴィンチ展の会場は、ヨーロッパの古書、それは革製の重々しい表紙の、大きなサイズの本ばかりだったが、そういう古書が並んでいる部屋を通り抜けた、その先にあった。階段を降りて、地下のような、窓のない部屋に、ダ・ヴィンチの小さなノート（＝手稿）の紙片が並んでいた。展示されているのは、主に、レスター手稿とアランデル手稿だった。

レスター手稿は、かつてビル・ゲイツ手稿と呼ばれたこともあった。マイクロソフト創業者のビル・ゲイツ（１９５５年〜）が所有しているのだ。その前は、ハマー手稿とも呼ばれていた。この手稿は、ずっとレスター家に所有されていて、そんな事情でレスター手稿と呼ばれていたが、１９８０年にアーマンド・ハマーという実業家がオークションで落札、そこでハマー手稿と改名した。しかし１９９４年、クリスティーズのオークションで売りに出され、それを落札したビル・ゲイツの所有となった。一時、これからはビル・ゲイツ手稿と呼ばれるようになるのではないかという噂があったが、彼は売名的な行為を避けたのか、そこが立派なところだが、手稿の名称をかつての名が通っていた「レスター手稿」

に戻した。レスター手稿は、そのすぐ後の1996年にニューヨークの自然史博物館で公開された。2005年には、東京の森美術館でも展示されたが、自分は、そのどちらも見ることができた。いわばダ・ヴィンチ没後500年の夏に、つまり2019年の夏に、自分はロンドンで、そのレスター手稿に「再会」したことになる。

レスター手稿とは、どんなもので、そこには何が書かれ（＝描かれ）ているのか。1997年に自分が書いた『生命の記憶』（PHP研究所刊）という本の冒頭に、その1996年のニューヨーク自然史博物館でのレオナルド・ダ・ヴィンチ展を訪ねた時の文章が載っている。読まれていない方も多いと思われるので、その文章を、以下に転載してみたい。

ある寒い日の朝、ぼくはニューヨークの自然史博物館を歩いていた。この博物館は、ニューヨークでもお気に入りのスポットで、この街に来て時間が余っているときは、たいてい、この古びた館内のあちこちを歩きまわっている。

その朝、タクシーで正面玄関に着いたとき、開館の一時間前だった。冬のニューヨークは寒く、道路のあちこちから白い蒸気が湧いている。地下鉄につながっている通気口から温かい空気が流れてくるのだ。こんな寒いところに一時間も待っていられない。しかたなく、ぼくはコーヒーショップを求めて歩き出した。二ブロックほど南に歩き、それらしい通りがあったので右に折れてみた。しかしレストランは準備中で、中でウエイトレスさんが掃除をしている姿が見えただけだ。

さらに歩くと、ホテルとおもわしき旗が立つビルがあったので、なかに入ってみた。ドアをくぐると、細長いテーブルがあって、そこに案内だか警備だかの男の人が立っている。

「このビルにカフェはありますか」

と聞くと「ノー」と言われた。そもそもこのビルは、そういうタイプの建物ではないのかもしれない。ぼくの質問はあまりに彼の意表をついたようだった。ぼくとしては、ここはニューヨークを知らない「田舎者」を装うしかない。事実そうなのだが、ともかく困っている顔をしてみた。ぼくは悪い企みがあってこのビルに入ってきたのではない。本当に迷って、コーヒーショップを探して歩いているのだ、というふうに。彼は親切にも、近所の店を教えてくれた。

そこで一時間つぶして、再び自然史博物館に行く。すでに入り口が開き、チケットを売っていた。

ぼくには、この博物館にいくつかのお気に入りがある。とくに文化人類学の展示が好きで、南太平洋やバリ島の装飾品や模型を、以前はよく見ていたものだった。これまで旅した土地のことを思い出し、いまだ旅していない土地の展示を見ては、今度はどこに行こうかと夢見たりする。

この博物館には、民族文化の展示だけでなく、自然の動物や植物、海の中の生き物、あるいは鉱物まで、この地球のありとあらゆる資料が集められている。世界を一度に旅することはできないが、この博物館に来れば、その「要約」を見ることができる。

ぼくはニューヨークに行く前、アフリカ・ザイールのジャングルを「ボノボ」という猿を探して歩き、またエジプト・紅海の透明な海で、珊瑚礁の光景を見てきたところだった。あの風景、この風景が、どのように展示されているのか。また、まだ見ぬどんな光景があり、どんな新しい旅への憧れを誘ってくれるのか。ぼくは案内板を眺めながら、どの部屋に最初に行こうかと考えていた。

しかし今回は一つの目的があった。「レオナルド・ダ・ヴィンチ展」を見に来たのだ。ホテルの部屋に、ニューヨークのイベント情報を載せた雑誌が置いてあった。そこにレオナルド・ダ・ヴィンチの展覧会があると書いてあったのだ。

雑誌には詳細な情報は書いてない。ただダ・ヴィンチに関する特別展示としか書いてない。ニューヨーク自然史博物館は「美術館」ではないから、レオナルド・ダ・ヴィンチ展といっても、「モナリザ」や「岩窟の聖母」などの絵画が展示してあるわけではないだろう、とは思った。科学者としてのダ・ヴィンチ、そういった企画なのだろう。

しかしレオナルド・ダ・ヴィンチは、科学者としても一筋縄ではない。飛行機の設計をしたり、死体の解剖をしたり、また水の物理学の研究もした。どのダ・ヴィンチの側面が展示されているのか。入ってみるまで分からなかった。

特別展の入り口には、アクリルガラスで作られた透明な装置に水が流れていた。水にいろいろな力がかかり、渦を巻いたり、波紋を作ったりしている。つまりレオナルド・ダ・ヴィンチの水の研究を、立体の（動きのある）模型にしたものなのだろう。

この展示は、レオナルド・ダ・ヴィンチの「レスター手稿」の全部が展示され、それに関連した模型や資料がまわりに置かれている、というものだった。もっとも、手稿のすべてといっても、一八枚しかない。その紙の裏表、計三六ページに記されたダ・ヴィンチのスケッチやメモの世界が、この展示を構成しているのだった。

手稿そのものは、一八枚がそれぞれガラスに挟まれ、表と裏の両方から見られるようになっている。レオナルドの手稿は、トスカナ地方の方言まじりのイタリア語だと言われているし、文字も当然のことながら活字ではなく、判読しにくい手書きだ。しかもこの文字、例の「鏡文字」になっているから、アルファベットすら満足に読み取れない。そんな一八枚のメモなど、いつまで見ていてもチンプンカンプンだ。文字とスケッチのレイアウトが美しいとか、文字そのものも神秘的で深みがあるとか思ったりするが、それも一八枚も見ていると、途中で飽きてくる。やはり内容が分からないと、楽しめない。

そこで見方を変えて、メモの片隅に描かれたスケッチだけを見ることにした。「モナリザ」や「最後の晩餐」などのような、細部まで描き込んだ絵ではないが、さすが「レオナルド・ダ・ヴィンチ」である。影の付け方や直線の引き方、それにすっきりとした主題など、理科と美学をミックスさせた独特のビジュアルを見せてくれる。

この絵を手がかりに、レオナルド・ダ・ヴィンチの思考を、なんとか追体験しようとする。あっちのページを見、こっちのページを見、それらを自分の頭の中で比べたり、解体したりしてみる。一枚、一枚の絵ではなく、それら全体を貫いているレオナルド・ダ・ヴィンチのビジョンは何だったのか、と。

　そんな時間を繰り返していると、いくつかの手がかりが見えてくる。まずこの手稿の大部分は「水」についての研究である。流れている水の前に障害物があると、どのような波ができるか。水の入った壺に、曲がったストローを差し込むと、水圧で水はどのように流れるか。そういった水の物理学に迫ろうというレオナルド・ダ・ヴィンチの視点が見えてくる。スケッチの中には、現代のモダンな浴室にもあるような、しゃれたデザインのシャワーが描かれていたりもしている。

　しかしこの「レスター手稿」は、そのような水の研究だけですべてのページが埋め尽くされているのではない。他に、一見すると全く無関係のテーマが描かれている。

　たとえば、月と太陽と地球の位置関係が描かれ、太陽の光がどのようにして地球に届くか、また月に、その光がどのように届き三日月や半月になるか、そういったことの思索が、あちこちに描かれている。

　また別のページには、山の中で、海の生物の化石がみつかるのはなぜか、ということも書かれている。それは大地が隆起して、あるいは移動して、かつて海だった場所が現在は山になったとレオナルド・ダ・ヴィンチは考えたのだが、そのような「水の研究」や「太陽と地球と月」や、「山で発見される海の生物の化石」といった、一見無関係のことが、一八枚というわずかな手稿のなかに、ぎっしり詰め込まれている。

もちろん、「同じ紙の手稿だから、同時進行で考えられたテーマである」とは言い切れない。年月を隔てた別のメモが、たまたま同じ紙に書かれただけかもしれない。しかし少なくとも、それだけのテーマが一冊の手稿のなかに書き込まれているのも事実なのだ。だからそれらを別々のテーマと考えずに、どこかでつながっている、と考えることも必要だろう。

レオナルド・ダ・ヴィンチは、水と太陽と月と、地球の山と海を材料に「何を」探究していたのか？

もちろんニューヨーク自然史博物館で展示を見ていたわずかな時間では、ぼくはその「全体」をつかむことはできない。そもそもレオナルド・ダ・ヴィンチ自身、その全体をつかみきっていないのかもしれない。ただこの「レスター手稿」が教えてくれたのは、そういう無関係と思われるもの、つまり水と太陽と月と、地球の山と海を、なにか「ひとつのもの」の表れとしてとらえようとしていた人間が、ルネサンスの時代にいたという事実だ。

科学の世紀といわれる二十世紀でも、その明確な解答は得られていない。そもそもそのような大問題と取り組もうとしている科学者が、人間が、どこにいるのだろうか。ぼくはそんなことを考えながら、博物館の出口でセントラルパークの冬の林を眺めていた。

というようなことを、自分は初めて「レスター手稿」を見たときに書いた。それから2005年に東京の森美術館で「レスター手稿」に再会し、そしてダ・ヴィンチ没後500年を記念して企画された、ロンドンの大英図書館での展示が、再度、「レスター手稿」をまじまじと見ることのできる機会となったのだ。

## ダ・ヴィンチの自然研究、科学研究の全貌

このロンドンの大英図書館での展示だが、レスター手稿に加えて、アランデル手稿との組み合わせで展示構成されていた。どちらも、描かれているテーマは共通していて、つまりダ・ヴィンチの「自然」への研究に関する内容だ。レスター手稿では、先に書いたように、水の動き、天体の位置関係や光、それに大地の隆起などについて言及されているが、

アランデル手稿には、大地を流れる川の形状、月の満ち欠けの理由、滑車や水車などの機械の設計図、それに巻貝の描写や鳥の飛翔のメカニズムへの探究など、レスター手稿に共通する「自然」の研究のテーマのあれこれが書かれている。いわばレスター手稿だけでは見えない、レオナルド・ダ・ヴィンチの自然研究、科学探究が、この2つの手稿群が一緒に展示されることで、その全貌にさらに迫っている企画だということができる。さすがダ・ヴィンチ没後500年という、記念の年だからこそ実現した豪華な展示であった。

この、大英図書館のダ・ヴィンチ展は、展覧会名が「LEONARDO DA VINCI : A Mind in Motion」というもので、つまりダ・ヴィンチの「動き」についての探究に迫った内容だった。展示は、5部構成になっていて、セクション1が「Thinking Nature on Paper」という、いわばイントロのようなもの。セクション2が「The Greater World」で、月と太陽と地球の位置関係を探究したような内容のものが集められ、セクション3が「The Living Body of the Earth」で、地球での水の循環、それに容器での水の圧力などについて、さらには巻貝（つまり水に棲む生き物）のスケッチも、ここに含まれていた。ダ・ヴィンチは、海から遠く離れた山の上で、海の貝の化石が見つかるのはどうしてなのか、を考えていたのだ。そしてセクション4が「The Dynamics of Water」で、水の動きや渦巻き生成の探究、さらには弾道の軌跡についてのスケッチなどが渾然と描かれている。そして最後のセクション5が「Mechanical and Human Motion」で、アランデル手稿を中心に、フォースター手稿など他の手稿や人物デッサンなどの紙片も加わった展示になっていて、歯車の動き、労働する人体の動きについてのスケッチなどが描かれている。ともあれ、全体で「動き」についてのダ・ヴィンチの研究について紹介されている。それは機械の動きであり、人体の動きであり、大地や川の動きであり、天体の動きでもある。いわば天体から人体まで、様々な動きについてのダ・ヴィンチの研究の足跡を体感できる展示になっている。

ぼくは、ガラスケースに入れられた、ダ・ヴィンチの手稿（ノートが、1枚1枚の紙片になっている）を見た。1枚見終わると、その横のものを見て、それが終わると、今度は背面のガラスケースの前に移動する。そこは美術館のような大きなスペースでもないので、展示順に沿って見ながら、またスタート地点に戻り、そしてまた展示順に足を進めた。1回目は、どこに何があるか、展示の大きな流れを把握するようにした。2回目は、1点、1点を丁寧に見て、その1枚の紙に何が描かれているか、読み取るようにした。そして3回目は、手稿の紙片と紙片の関係を汲み取るようにした。展示は、レスター手稿とアランデル手稿がミックスされて、1つの世界を形作っていた。いつもは、レスター手稿はシアトルのビル&メリンダ・ゲイツ財団にあり、もう一方のアランデル手稿の方は、ロンドンの大英博物館に保管されている。両者がミックスされて、1つの世界を作り上げる、ということはふだんはない。おそらく、このような展示は、展示担当のキュレーター・研究者の頭の中で構成されて、その脳内のダ・ヴィンチ・ワールドが現実世界で展示として形になったものだろう。だから、展示を見るものは、その企画者の脳内を覗くように、そこにダ・ヴィンチのどんな世界が構成されようとしているのかを見ないといけない。

レオナルド・ダ・ヴィンチは、レスター手稿とアランデル手稿で、天体の大きな動きと、大地の川の水の動き、そして歯車が噛み合ったような機械が作る動き、さらには人体の動きなどを探究した。それらは、一見すると、全く別々のものだが、こんなふうにミックスされて展示されている、ということはそれは1つの何かの世界であると、展示の企画者は、こちらにメッセージを送っているはずだ。

## 宇宙=マクロコスモスと人体=ミクロコスモスの因果

その、ダ・ヴィンチの、多様なようで「1つ」の世界とは、どういうものなのか。

この展示を見ながら、ぼくの脳裏に浮かんでいたのは、かつて読んだ進化論研究の古生物学者スティーヴン・ジェイ・グールド（1941〜2002年）の『ダ・ヴィンチの二枚貝』（渡辺政隆訳、早川書房、2002年刊）の中での、グールドのダ・ヴィンチ論のことだった。グールドは、その科学エッセイの中で、ダ・ヴィンチが、人体や、大地や川や、天体を同時に扱っていることについて、それは「地球をマクロコズム（大宇宙）、人間の体をミクロコズム（小宇宙）と見立てて対照させ、因果の糸で結ぶという考え方」だと指摘している。スティーヴン・ジェイ・グールドは、こんなふうにも書いている。

レスター手稿だけでなくレオナルドの著述全体を通じて、肉体の小宇宙と地球の大宇宙の物質的および因果的統一性というテーマほど繰り返し登場し、しかも議論の中心に据えられているものはない（前掲書）

このように、「レオナルドが自らの思想の中心に大宇宙と小宇宙のアナロジーを置いていた」（前掲書）ということは、人体とか天体とか地球とかの具体的なことを離れて、サイズや比率の問題とも関連してくる。スティーヴン・ジェイ・グールドは、このことについて、こんな書き方もしている。

それは、物質どうしにはサイズや所属する世界のスケールを越えた象徴的な一致点が見出されるという一般論につながる（前掲書）

このことは、これまでも書いてきたが、レオナルド・ダ・ヴィンチが、絵画の制作に「黄金比」という比例の原理を込めて絵の構図を決めていたこととつながる。つまり大きなものの中に、それと同じ構造をもった、小さなものがある。その小さなものの中に、さらに小さなものがある。あるいは、大きいものの外に、それと同じ比率のさらに大きいものがある。

ダ・ヴィンチは、世界の森羅万象について探究し、その多様性と向き合ったが、そこには、絵画の構図に「黄金比」を使った、ということとも、じつは関係があったと気づかされる。黄金比は、1対1・618という比率の中に、小さな1対1・618の比率が秘められ、さらにその中にも、さらにさらにその中にも同じ比率が続いていくというものだ。それは「中へ」だけでなく、同じく「外へ」も無限に黄金比の比率が展開されていく。ダ・ヴィンチは、数という、あるいは三角や四角、そしてらせんといった抽象的な形だけでなく、自分たちのこの周りにある具体的な事象、つまり大地や、自分の身体や、空の星にも、同じくミクロコスモスとマクロコスモスの照応を見ていた。

大英図書館で、レスター手稿とアランデル手稿の展示を眺めながら、自分の脳内には、やがてそんなダ・ヴィンチが夢見た「無限」の繰り返し、無限の照応というものが立ち現れてきた。それはダ・ヴィンチの絵画作品にも現れているが、その生涯にわたって書き続けられたノート（＝手稿）の紙片の1つ1つにも、その思考が込められている。

また1つ、ダ・ヴィンチの世界が「見えた」。ダ・ヴィンチが夢見たものを、実感できた。そんなことを思いながら、大英図書館の建物を出た。

## 博物学者レオナルド・ダ・ヴィンチ

ロンドンでは、大英自然史博物館にも行った。

博物館のエントランスを入ると、吹き抜けの広いホールがある。大きなキリンの剝製や骨格も、そのスペースに余裕で収まっている。2階への階段があり、見上げると中2階の踊り場に、進化論のチャールズ・ダーウィンの銅像がある。この国は、生物学の革命ともいうべき進化論を生み出した国であり、それを誇るように、ダーウィンを称えた像がある

（上）大英自然史博物館で生命の進化の道筋を辿る。（下）ダーウィンの肖像彫刻

のだ。

　生命の進化について、実物の骨格や剥製を眺めながら、その道筋を辿ってみた。まず生命は、海で誕生した。海の無脊椎動物、それに背骨をもった最初の生き物である魚の標本などを見る。それから、前足・後ろ足が生え、水中での鰓(えら)呼吸ではなく、陸上での空気呼吸をするようになった両生類のコーナーの前に立つ。大きなサンショウウオなどの剥製がある。これら両生類は、生きる場を陸上へと進出させたといっても、たとえば卵は水中に産む。両生類の幼生は、水の中で鰓呼吸をして暮らし、やがて成長し陸上へと移動するようになる。そんな生態だから、両生類は、陸に上がったといっても、水のあるところから

遠くへは離れて生きていくことはできない。

　そして水陸両棲の両生類から、完全な陸上生活が可能な爬虫類へと進化する。爬虫類は、両生類と違って、殻のついた卵を産む。この殻のおかげで、卵は水辺とは別のところでも孵化できるようになった。生物は、水の世界を離れたのだ。もちろん、生き物は水なしでは生きていけない。我々ヒトも、常に水を飲み、体に水分を補給する。爬虫類の卵も、殻の中には液体が満ち、つまりそこはカプセルのように切り離された、いわば「切り取られた海」なのだ。

オオサンショウウオなどの剥製。空気呼吸をするようになった両性類が爬虫類へと進化した。大英自然史博物館（ロンドン）

　そんな爬虫類も、次には卵に殻の不要な、哺乳類へと進化した。哺乳類は、子宮の中で胎児を育て、ある程度成長したところで出産する。そして生まれた子どもには、母乳

爬虫類が哺乳類に進化する。大英自然史博物館の展示ではネズミ、ウマ、サルと様々に進化した哺乳類が現れる

を与えて育てる。ネズミやウマやサルや、様々に進化した哺乳類が次々と現れる。我々ヒトも、その哺乳類の1種だ。

ヒトは、サルから進化した。その中間段階では、いまは滅びて地上から消え去ってしまったが、ヒトの祖先であるアウストラロピテクスやネアンデルタール人などがいた。数十万年前に地上に現れ、数万年前に絶滅したネアンデルタール人の復元模型も、大英自然史博物館には展示されている。まるで、いまそこに、生きたネアンデルタール人が現れ対面したかのような臨場感ある展示物だ。

こういう自然の展示を見ていて思うのは、まるで博物学者のように、自然の世

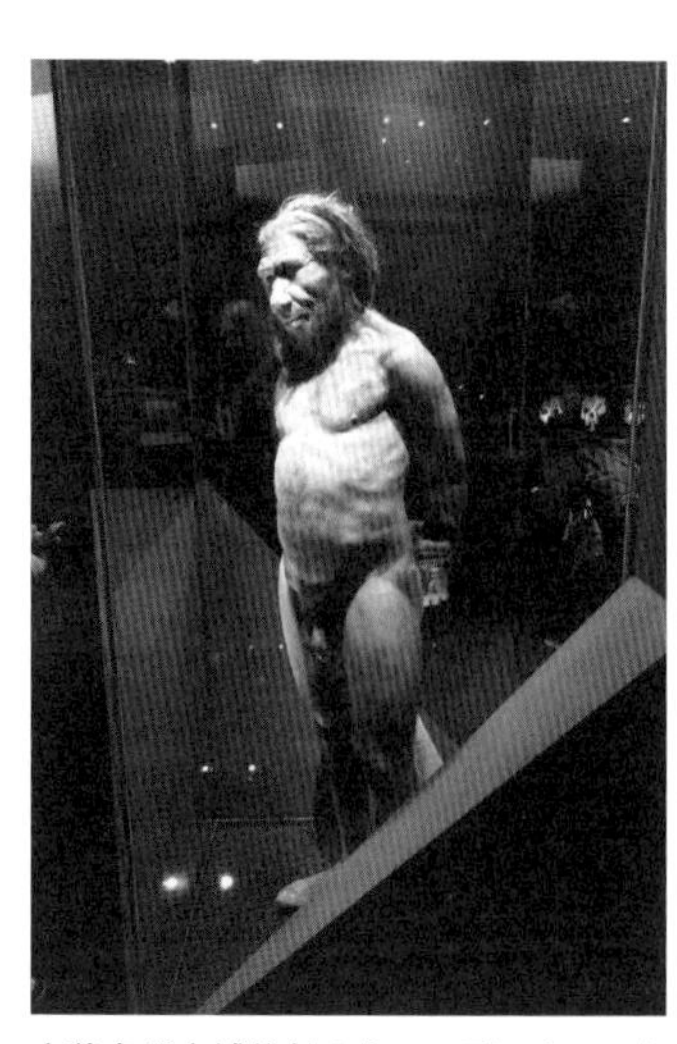
大英自然史博物館のネアンデルタール人

界を探究したレオナルド・ダ・ヴィンチのことだ。ダ・ヴィンチは15世紀の生まれで、19世紀のチャールズ・ダーウィンよりもはるか昔の人間だから、進化などという発想は知らなかった。しかしダ・ヴィンチの自然を見る目、たとえば海の生き物である貝の化石が、なぜ海から離れた山の中で発見できるのか、などという大地の生成や隆起と、生き物の世界を結び付けて探究しようという視点は、自然史の科学博物館の世界とつながるものである。

大英自然史博物館には、生物学の展示だけでなく、宇宙や物理学の展示ももちろんある。ダ・ヴィンチは、月と太陽と地球の位置関係を図に描き、なぜ月は形に満ち欠けがあるのか、などを考えた。大英博物館にある月の模型などを見ると、そういうレオナルド・ダ・ヴィンチの世界のことも、つい考えてしまう。

さらに大英自然史博物館の館内をあちこち歩き回った。ふと、ヒトの生殖と、胎児の展

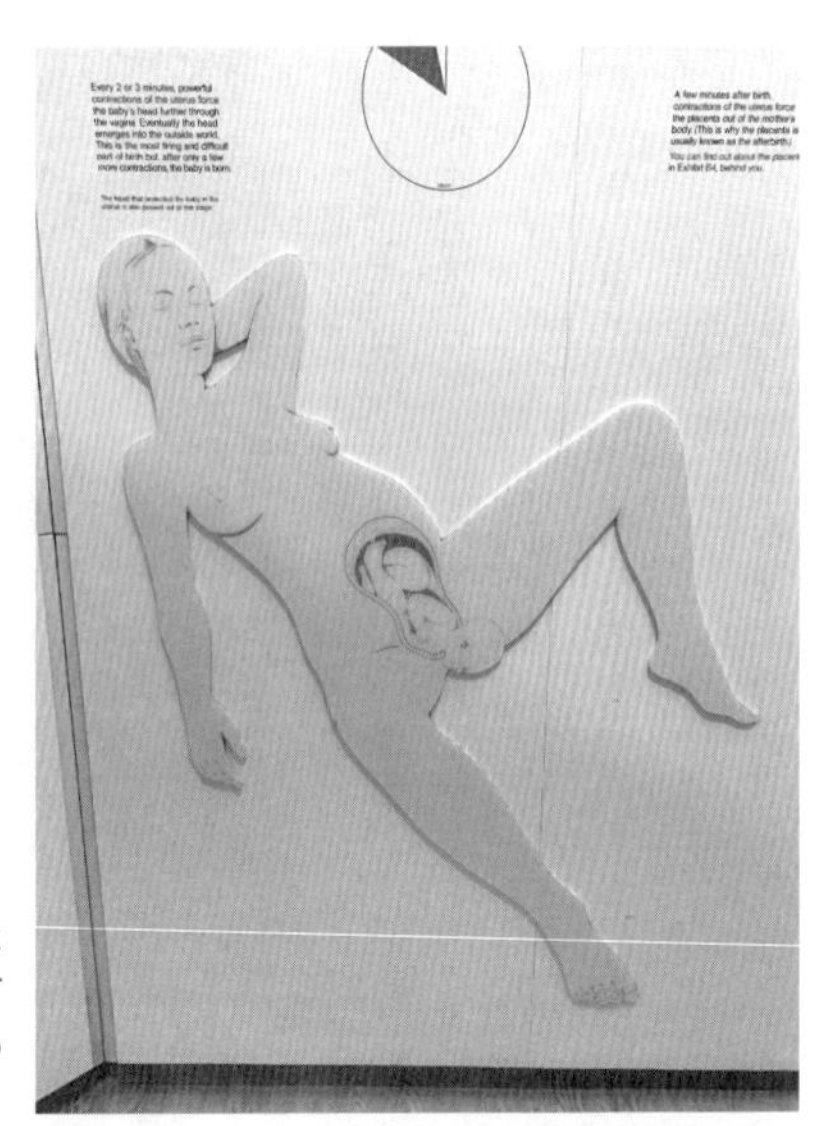


大英自然史博物館、ヒトの生殖や誕生に関する展示。ダ・ヴィンチもこのテーマを探求した

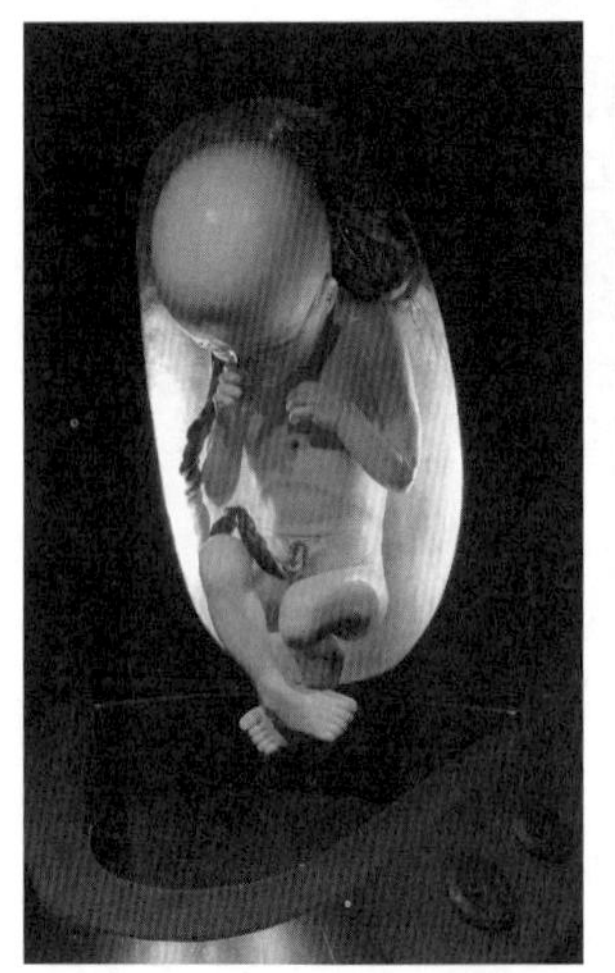

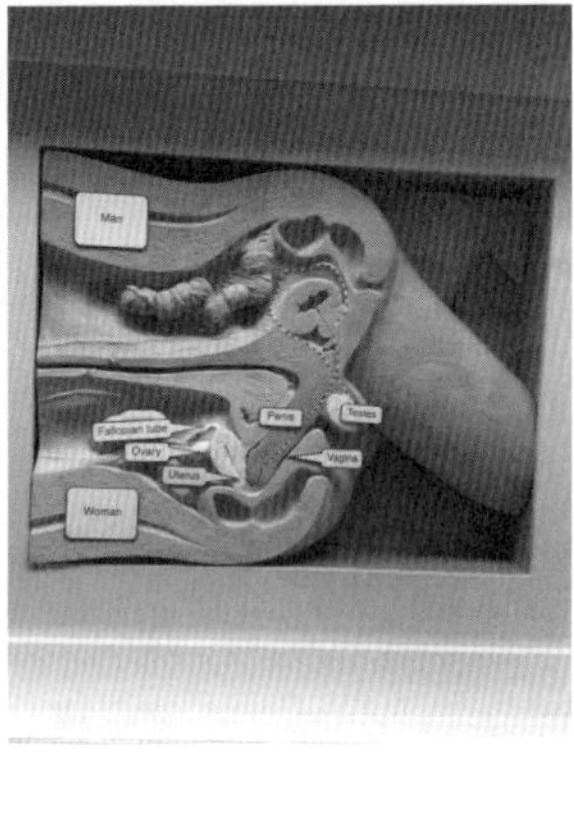

示なども目にとまった。男女はどのように交接し、胎児はどんな姿をしているのか。胎児は、単に小さい人間なのか。それとも成人と似てはいても、胎児ならではの形態をしているのか。レオナルド・ダ・ヴィンチも、同じようなテーマの探究をしていた。展示を見ながら、そういうヒトの生殖や誕生の世界に心を向けたりもした。

そんな科学の世界、生命の世界に浸りながら、大英自然史博物館を出た。

## イギリス王室が所蔵する『解剖手稿』

2019年の夏のロンドンでは、先に書いた大英図書館でのレオナルド・ダ・ヴィンチ展とは別に、クイーンズギャラリーでも大規模なレオナルド・ダ・ヴィンチ展が開催されていた。同じ夏に、2つのレオナルド・ダ・ヴィンチ展が同時開催されているなんて、ダ・ヴィンチ没後500年という節目でもなければ実現しないことだ。しかも、どちらの展覧会もかつてない規模と内容の充実したレオナルド・ダ・ヴィンチ展だ。だから自分は、わざわざロンドンまで来た訳だが、そのもう1つのレオナルド・ダ・ヴィンチ展を見るために、クイーンズギャラリーへと足を運んだ。

クイーンズギャラリー、つまりイギリス王室があるバッキンガム宮殿にあるギャラリーでの展覧会は「LEONARDO DA VINCI A life in drawing」と題されたもので、ドローイング、つまりダ・ヴィンチのデッサンや手稿が展示されているものだった。イギリス王室には、『解剖手稿』をはじめ、ダ・ヴィンチの資料が数多く所蔵されている。その中から、没後500年を記念して、選りすぐりの200点が展示されるというものだった。自分は、解剖学が専門なので、ここの所蔵の『解剖手稿』がまとまって見られるということで、勇んで出かけていった。そもそも、ロンドンに行った一番の目的は、この展覧会を見ることだった。

ダ・ヴィンチの『解剖手稿』は、日本でのいくつかのレオナルド・ダ・ヴィンチ展でも目にすることができた。しかしそれはいつも、2、3点がやってきた、という程度で、「一応、本物は目にしました」とはなるが、ダ・ヴィンチの解剖学の世界に浸れる、というレベルの体験はできない。しかし、このクイーンズギャラリーの展示は、惜しみなく、という形容をしたくなるほどに、たくさんの、しかも重要な図像のものが選ばれて展示されていた。

『解剖手稿』の話は後回しにして、まずはこの美術館に入場するところから話をはじめよう。ギャラリーの建物は、さすが王室の宮殿に隣接しているということもあって、古代ギリシアふうの立派な石の柱が屹立する入り口になっている。その手前の塀には、ダ・ヴィンチ展が開催されていることを伝えるポスターもあった。

この展覧会のチケットは、日本で既に予約してあった。というか、最近はイギリスでもフランスでもイタリアでも、ふらっと美術館に行っても、すぐに入れるというものではない。たいていは、ネットで予約して、指定された日時にエントランス前に行く、ということになる。この展覧会でも、予約した時間に、予約したことがわかるスマホの画面を提示して、中に入った。

クイーンズギャラリーではダ・ヴィンチの没後500年を記念して、『解剖手稿』などの資料200点が展示されていた。2019年

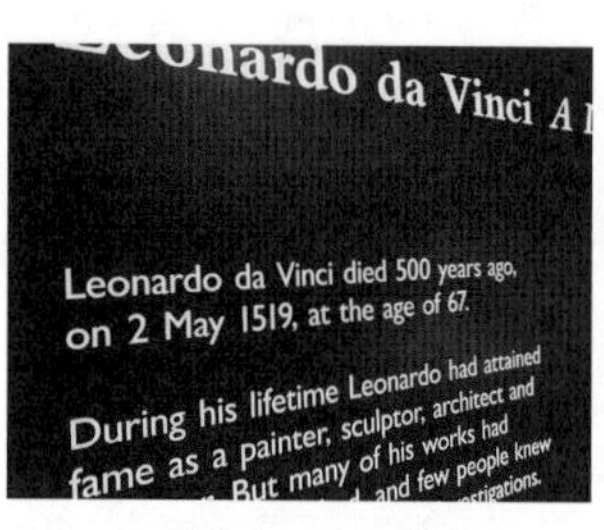


クイーンズギャラリー。拡大されたダ・ヴィンチのデッサンと「500年前の1519年5月2日に67歳で亡くなった」という説明が

会場には、「レオナルド・ダ・ヴィンチは、いまから５００年前の１５１９年５月２日に亡くなった」と、黒いパネルに黄色い文字で書かれている。大きく拡大したダ・ヴィンチのデッサンが、柱の間に掛かっている。いつもの展覧会とは違う、何か特別な場に足を踏み入れようとしているような、緊張感に包まれた。ちょっとドラマチックな体験がいまからはじまる、そんな気持ちにもなった。

このクイーンズギャラリーの「「LEONARDO DA VINCI A life in drawing」展は、２０１９年５月24日から10月13日まで開催された。自分が行ったのは8月後半のことだった。ダ・ヴィンチの、板絵（タブロー）や壁画以外の、描かれたドローイングのあれこれが展示されていた。

絵画の制作では、いきなり板やキャンバスに描く作業からはじめるのではなく、たいていは、その前に下絵を描く。我々は美術館や教会で、完成した絵を目にする訳だが、画家はその準備として下絵を描き、廃棄されない限り、その下絵（＝ドローイング）は残る。この展覧会には、そういう「drawing」が集められ、展示されていた訳だ。

これまで、この本で、たとえばイタリアを旅したところで取り上げた、フィレンツェのウフィツィ美術館にある『東方三博士の礼拝』や、ミラノの『最後の晩餐』といった絵があったが、今回の展覧会では、それらの絵の制作のために描かれたドローイングも展示されていた。

ドローイングや手稿というものは、小さな紙片に描かれているので、それらを広く大きなギャラリーに展示しただけでは、展示空間が単調になり、インパクトに欠けてしまいかねない。そこでドローイングに関係した「元の絵」というか完成作を、大きなパネルで展示したり、あるいは小さなドローイングやデッサンそのものを拡大し、パネルにしたりと、工夫がされてもいた。もちろん、ダ・ヴィンチのドローイングは、小さなものではあっても、近づいてマジマジと見れば、その線の息づかいも、線が生み出す形も、美しく、力強いもので、たかがドローイング、という展示に終わるものではない。しかし展示には、大

クイーンズギャラリー。ダ・ヴィンチのドローイングを筆や絵具とともに展示

きなパネルに加え、制作にどのような筆やペンやインクや絵具が使われたか、というような画材の展示物も加わり、凝った、贅沢で楽しい展示となっていた。

## ドローイングからわかる線の素材感

メタルポイントという、金属の細い棒で描いたドローイングと、その画材の展示もあった。

メタルポイントは、硬く尖った金属で描かれるから、線は強く刻印され、光を反射する顔料が使われるので、描かれた紙に光を当てると、それまで紙に対して黒っぽかった線が、白く光り輝く。こういう感じは、画集やネットの画像からは体験することができない。絵というのは、つい（視覚的な）イメージだと考えてしまいがちだが、実際は「モノ」だ。だから、光を反射するような素材で描かれていると、光の当たり方で、光ったりもする。

この展示は撮影自由だったので、ドローイングをいろんな角度から見て、ちょうどその線に光が当たり反射して白く輝く位置を探しては、カメラのシャッターを押してみた。すると、174ページの写真にあるように、メタルポイントで描かれた馬を描く線は、黒い色から、光の白い色に見えたりもする。しかも、それはただの白い線ではなく、光の白い線だ。だからキラキラ輝いてもいる。美しい。そして、ちょっとだけ見る位置を変えると、その線はまた黒く元に戻る。そんなふうに眺めながら、ダ・ヴィンチも、絵を描く作業の中で、何をどう描こうかというイメージのことだけに没頭していたのではなく、その線そのものの素材感も楽しんでいたのだろうなと気づかされる。つまりこれは、完成作のための単なる下絵、試作ではなく、これもまた描くということの創造的な楽しみの時間でもあったのだ。だから、このような「A life in drawing」などという展覧会も成立するのだろう。

展示されているドローイングは、いくつかのグループに分けることができたが、まずは、フィレンツェのウフィツィ美術館にある『東方三博士の礼拝』や、ミラノの『最後の晩餐』などの絵画作品のための下絵としてのドローイングだ。

『東方三博士の礼拝』は、たくさんの人物がひしめく絵だが、その画面の中心にいる幼児キリストと聖母マリアが、素早い、生き生きとした線で描かれたドローイングもあった。

メタルポイントという金属の細い棒で描いたドローイング

この絵は、人物がひしめく、その密集感が絵の特徴ともいえるが、そんな参集感そのままに、ドローイングの紙にも、人物たちがその余白を埋めるように密集して描かれている。その中で、マリアの身をよじり、首を傾けて、眼差しを我が子キリストに向ける描写は、画面の中でくっきりとした存在感を示し、母としての優しさ、そして身体の柔らかさや重ささえも感じさせる描写になっている。ウフィツィ美術館の絵では、マリアは、幼児キリストを左の腿に載せて、その横に跪く老いた博士が描かれているが、この下絵では、幼児キリストはマリアの右胸のあたりにしっかりと抱えられ、跪く博士の位置にも、幼い男の子、つまりキリストが描かれている。まるでアニメーションのコマ割りのように、幼子の存在に動きがあるが（しかもそれは同一人物の動きだけでなく、幼子の成長具合に違いも

『最後の晩餐』や『東方三博士の礼拝』の下絵としてのドローイング

あり、あたかも子供の成長が暗示されている風でもある）、ともあれ、こういう下絵を見ると、その最終作と比べ、ダ・ヴィンチがどういう構想で絵を仕上げていったか、あれこれ舞台裏を眺めるようで楽しい。アニメーションのような動き、と書いたが、それは下絵と最終的な絵の関係が、それもまた「コマ割り」のそれぞれのようであり、絵の世界が、より三次元、四次元のものとして立ち現れてくるようでもある。

**『最後の晩餐』ドローイングで気になるユダの位置**

『最後の晩餐』の展示でも、パネルにした元の絵の下に、額に入った小さなドローイングが並んでいた。中でも目を引くのが、細長いテーブルについて並んだ、キリストと12人の弟子たちの配置を描いたモノだ。テーブル面の高さと、人物の頭の高さが、平行線のように横に並び、画面に細長い方向性を強調した構図を作ろうとダ・ヴィンチが考えていた意図が分かる。頭の高さは、全員が同じなので、画面に安定感が生まれるが、そこに人々の「心の動揺」を表現するために、それぞれの腕の肘が曲げられ、その腕のポーズによって、そこにどんな心理劇が演じられているかが窺える。完成作品と大きく違うのは、1人の人物、つまりユダだけがテーブルのこちら側にいて、あたかも「悪者は仲間外れ」とでもい

(上)『最後の晩餐』のドローイング。裏切り者ユダの位置が「完成作品」と違う
(下)『最後の晩餐』での人物の表情へのこだわりがわかる

うように、その存在が強調されている。

ダ・ヴィンチは『最後の晩餐』において、人物の表情にもこだわりがあったらしく、その顔をアップで描き、その人々の顔のドローイングが、『最後の晩餐』のパネルの下に並んでいる。ほんらい、レオナルド・ダ・ヴィンチの『最後の晩餐』といえば、ミラノのサンタ・マリア・デッレ・グラツィエ教会にある壁画が、何をおいても『最後の晩餐』そのものであり、主役であり、本物であるが、この展示のように、『最後の晩餐』そのものは程々のパネルで、オリジナルの本物の壁画は、はるか遠くの見ることのできない存在としてであり、その代わり、ダ・ヴィンチの手の動きや息遣いまで感じられるようなドローイング群を肉眼で見ると、美術の世界が裏返しになったような、しかしその裏から現れたドローイングというものも、また美術の世界を構成する一要素なのだと教えられ、たのしめる。

## 骨格をバラバラに描いたダ・ヴィンチ

そしてクイーンズギャラリーのレオナルド・ダ・ヴィンチ展の何よりの目玉は、『解剖手稿』だ。ダ・ヴィンチは、生涯にわたって、いくつかの時期に人体解剖に取り組んだ。200枚ほどの解剖図が残っているが、そのほとんどがイギリス王室のコレクションになっている。つまりクイーンズギャラリーのものだ。その解剖図の、全てではないが、主要なものがたくさん展示されていた。またとない機会である。

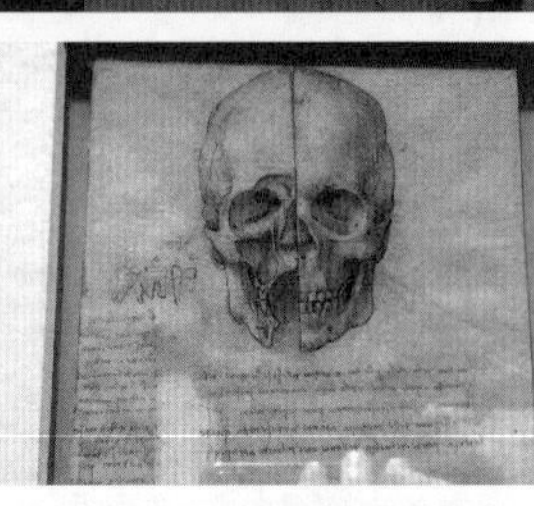

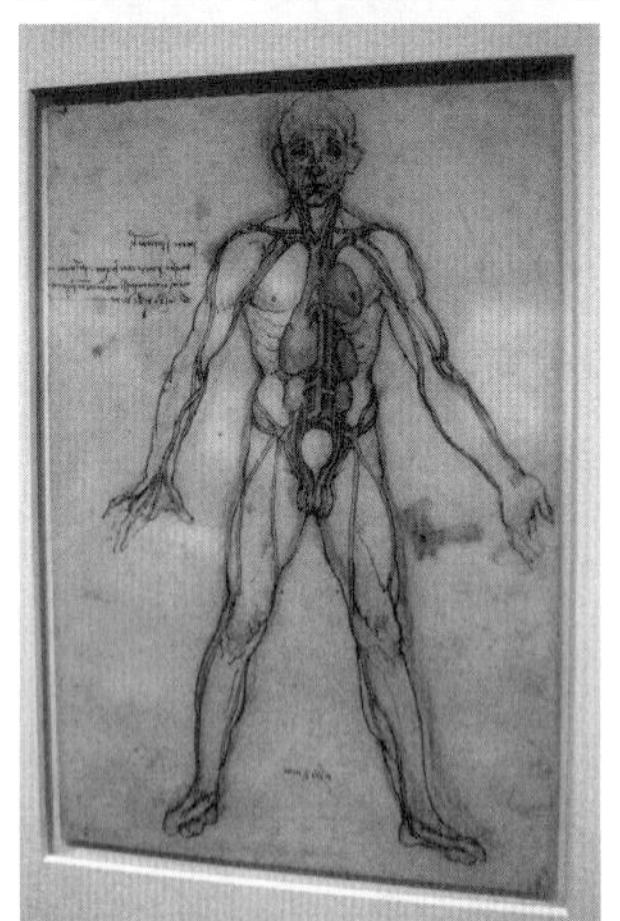

ダ・ヴィンチの解剖図は200枚ほどが残っている。ほとんどがイギリス王室のコレクション

解剖学は、ルネサンスの時代に盛んになった。それ以前の中世の時代には、身体に関わることには強い禁忌（きんき）があり、ましてや解剖をして、その内部を観察しようなどということは許される行いではなかった。しかし医学においても、ルネサンスの時代には解剖学の探究は徐々に新しい歩みをはじめた。

そのような時代状況の中で、若い頃のダ・ヴィンチは師のヴェロッキオから解剖学への眼差しを教えられ、又あらゆる自然や人工物の世界に興味をもつダ・ヴィンチの性格も後押しして、その生涯において、解剖への探究心は打ち寄せる波のように何度も盛り上がった。

ダ・ヴィンチは画家だから、その解剖の記録をスケッチに残した。そもそも解剖学というのは、美術と同じく「視覚的」な学問で、その研究成果を残すには、写真もスキャナーもなかった時代、手で描いて記録を残す以外に方途がなかった。そこで画家の出番となった。つまり、解剖学者は、自身の解剖研究の成果を形にするには、描写技術をもった画家と手を携えるしかない。そこで画家は、解剖の描写をするために、現場に足を踏み入れることが許される。画家や彫刻家は、そうやって解剖を見学する機会を得たのだ。

ダ・ヴィンチは、そこからさらに一歩進んで、「自ら」解剖学の研究に取り組むことになり、しかもその鋭い観察力によって、医学の研究者や解剖学者でさえ気づかない人体の構造や形態についての発見をするようになる。たとえば、ダ・ヴィンチは骨をバラバラな個別のものとして描いた。当時、骨格といえば、骸骨のようにポーズをとった全身骨格として描かれるのが普通だったが、ダ・ヴィンチはあたかも機械の部品のように、骨をバラバラにして描き、その視点が、後の解剖学者に引き継がれていったりもした。

## 「きらきら星」の回内と回外

また、ヒトの腕は、回内・回外といって、肘から先を捻るような動きができる。子供の頃に歌って踊った「きらきら星」の、あの手のひらを前に向けたり、後ろに向けたりする動きだが、これができるのは、あらゆる動物の中で、人間だけなのだ。チンパンジーくらいになると、それに近い動きができなくもないが、ともかく、ほぼ全ての動物は回内・回外ができない。なぜなら、ヒトは、二足直立の姿へと進化したことで、腕が歩行の働きから解放され、細かい動きをして、まさに「手仕事」ができるように進化したのだ。ヒトの手は、指先だけが繊細な動きができる器用さをもっているだけでなく、肩の回転、肘や手首の曲がり、そして前腕の回内・回外の動きなどが連動して、他の動物には無理な、ヒトだけの器用な腕の動きが生まれたのだ。ダ・ヴィンチは、そのような腕の回転（＝回内・回外）のメカニズムについても、明快な図で骨の構造や動きを描いている。

ダ・ヴィンチの解剖図は、精巧な複製の印刷物で、それを目にすることができる。自分も、それまで、この前腕の回内と回外を描いた解剖図は、いろいろな本やパソコンの画像

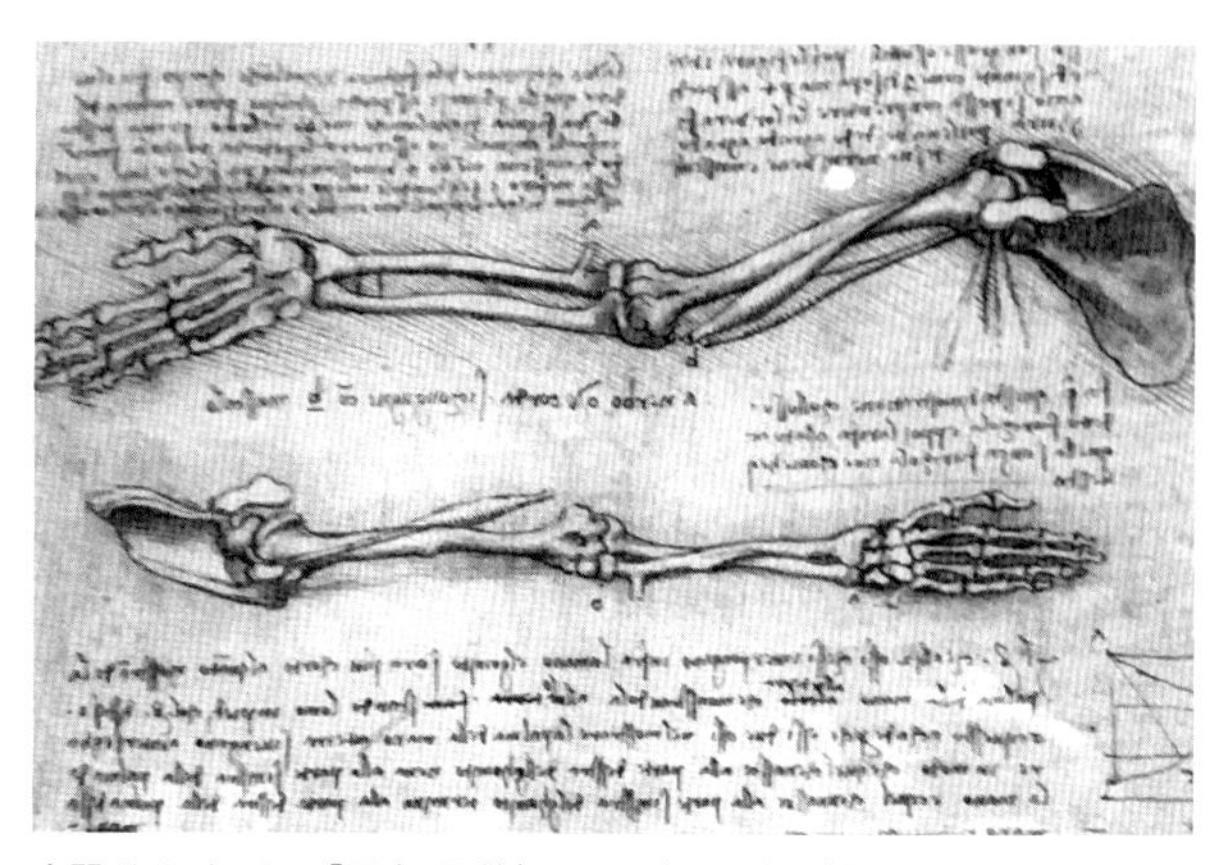

人間だけができる「回内・回外」という肘から先の捻るような動きのメカニズムも描いている

で見てきた。しかし、実物を見るのは、これが初めてだった。

レオナルドが上肢の骨格を描いた解剖図は何点かあるが、回内・回外について、いちばんわかりやすいのは、この図だ。鏡文字のメモの間のスペースに、2本の腕の骨格が描かれている。手の向きは、それぞれ反対で、上の図は指先が左側に、下の図は指先が右に向いている。下の図の腕の方がやや小さく、遠近法的な見方をすると、この下の図がやや奥の方に配置されているようにも見えてくる。つまり、紙の面というのは2次元の平面で、図もこの平面に沿って配置されているのが普通の描き方だと思うが、ここでは腕が奥行きをもった空間に配され、それだけでも空間の中に「動き」というものすら感じられる。少なくとも、それは平面に収まった静止した画像ではない。そう、この絵は動いているのだ。

## 人物表現をきっかけに人体のメカニズムに興味をもつ?

そんなふうに見て、さらに細かく、次は親指の位置を確認してみる。手のひらに対して、上下どちらの図も、親指は上にある。つまり、一瞬、それは同じ手のひらを描いたものかと思ってしまう。しかしよく見ると、肘と手首の間の骨が、上の図は平行に2本並び、下の図はその2本の骨が、X状に交差している。

肘と手首の間を、解剖学では「前腕」という。この前腕に、2本の骨がある。手首の位置からみると、親指の付け根にある骨、小指の付け根にある骨だ。この親指の付け根にある骨を「橈骨(とうこつ)」といい、小指の方を「尺骨(しゃっこつ)」という。

この2つの腕の絵は、一見すると、どちらも手のひらがこちらを向いている、と思うかもしれない。何しろ、どちらも親指が上にある、同じようなものになっているからだ。しかし前腕の橈骨と尺骨を見ると、上の図は平行に、下の図はX状に交差している。じつは、下の図は、手のひら側を描いたのではなく、これは手の甲なのだ。手のひらがこちらを向いたり、あちらを向いたりする。そのときに何が起こるか？　手のひらが前を向いているときは、前腕の尺骨と橈骨が平行に位置し、手のひらがひっくり返ると、前腕2本の骨がX状に交差する。このメカニズムを明らかにしたのは、自分が知る限り、レオナルド・ダ・ヴィンチが最初だ。しかも、絵画の中の人物のポーズで、この腕の回内・回外がどうなっているかを見ると、『最後の晩餐』の中で、キリストと12人の弟子の腕が、向かって左の人物たちは全て回内、そして右の人物たちは逆に回外で、絵画の秩序を構成する要素として使われている。年代的な順番でいうと、『最後の晩餐』の制作が1495年から98年頃だから、解剖学の研究よりも『最後の晩餐』が先になる。つまり順番でいうと、ダ・ヴィンチは絵画の制作の人物表現で、腕の回内・回外のポーズに関心をもち、その後の解剖の際に、「では、それはどんなメカニズムになっているのか？」と観察し、骨格の構造と機能を発見した、ということなのかと思う。1枚の解剖図であるが、そんなことをあれこれ考えながら眺めていると、飽きることがない。

## 性交時の男女の断面もドローイング

会場には、たくさんのドローイングが展示してある。他のものも、この機会にじっくり

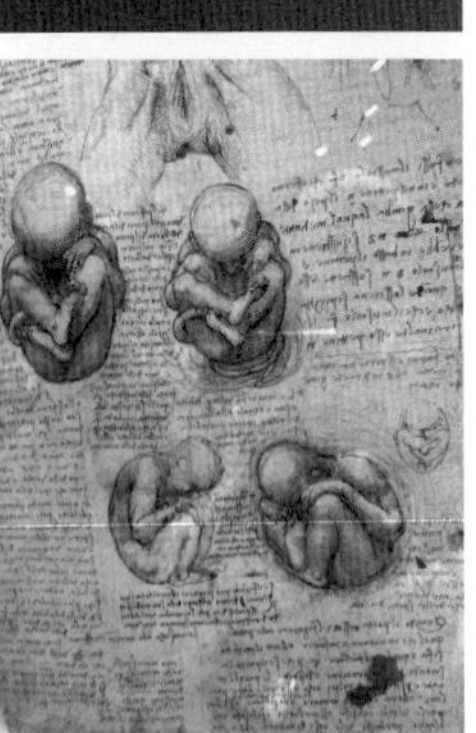

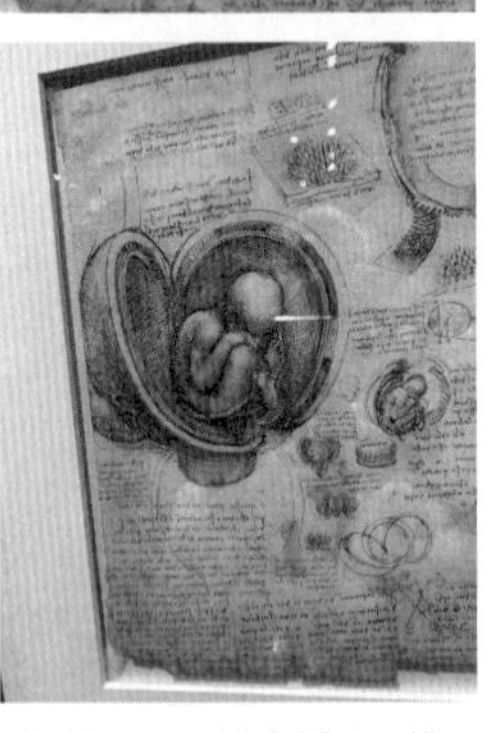

ダ・ヴィンチが晩年近くに描いた胎児のドローイング

見なければと、別の作品の前に立った。ダ・ヴィンチが、子宮の中の胎児を描いたものだ。

丸くうずくまる胎児が、いろいろなアングルから描かれている。胎児がいる子宮も描かれている。この子宮は、ややきれいな球形すぎて、実物をじっくり見て描いたというよりも、概念的な描写ともいえそうだが（頭部の上下も、胎児はふつう頭が下だが、そこも違う）、子宮の膜がどんな構造をしているかを拡大してみたり、胎児たちが描かれた紙片の上の方には女性器の描写もあったりと、並々ならぬダ・ヴィンチの探究がうかがわれる。

これらの胎児が描かれたのは、ダ・ヴィンチの晩年近くだが、その20年ほど前に、ダ・ヴィンチは男女が性交する体の断面を描いている。これも、胎児の模型と同じく、大英自然史博物館に断面模型があるが、ダ・ヴィンチは、女性器の外観、性交の断面、そして胎児と、生命誕生のあれこれを図に残していることになる。

ダ・ヴィンチの『モナリザ』は、1503年に描かれはじめ、晩年まで加筆が続けられた絵だが、その制作の当初は単なるフィレンツェの貴婦人の肖像であったのだろうが、フィレンツェを離れ、終焉の地であるフランスまで、ずっとダ・ヴィンチの引越しに同行し、描かれ続ける中で、当初のモデルを離れ、ダ・ヴィンチの心の中にある普遍的な女性像に

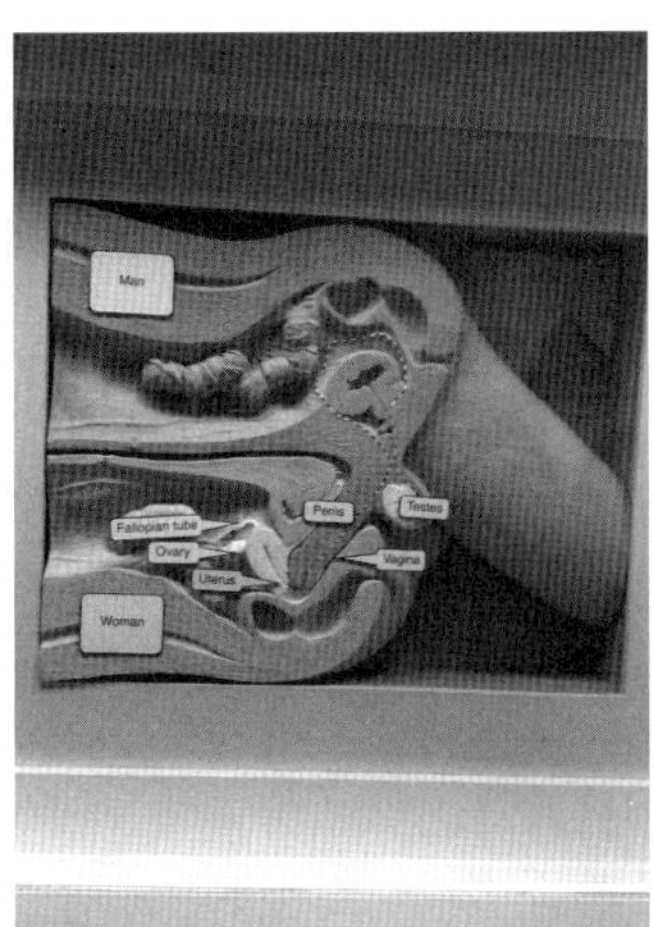


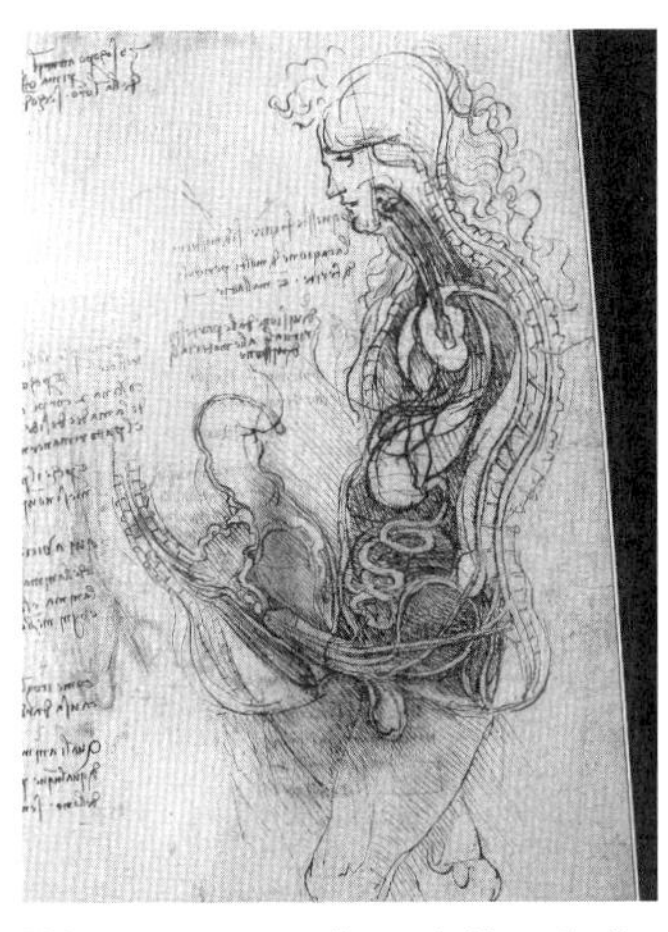

胎児のドローイングの20年前にダ・ヴィンチは性交する男女の体の断面を描いている

変貌していったと思われるが、この（現在の、つまりダ・ヴィンチの晩年の時点での）『モナリザ』は、妊婦であるという解釈もある。そして、『モナリザ』という肖像画が、ダ・ヴィンチの加筆によって変貌していく、その年月の中で、ダ・ヴィンチは子宮の中の胎児の研究をしていたことを思うと、その符合は偶然ではないのかもしれないとも思えてくる。つまり、かたや妊婦の肖像を描き、その裏で子宮の中の胎児の研究をしていたのだ。それは1つにつながっている。そこにレオナルド・ダ・ヴィンチの絵画の世界があり、レオナルド・ダ・ヴィンチの正体がある。

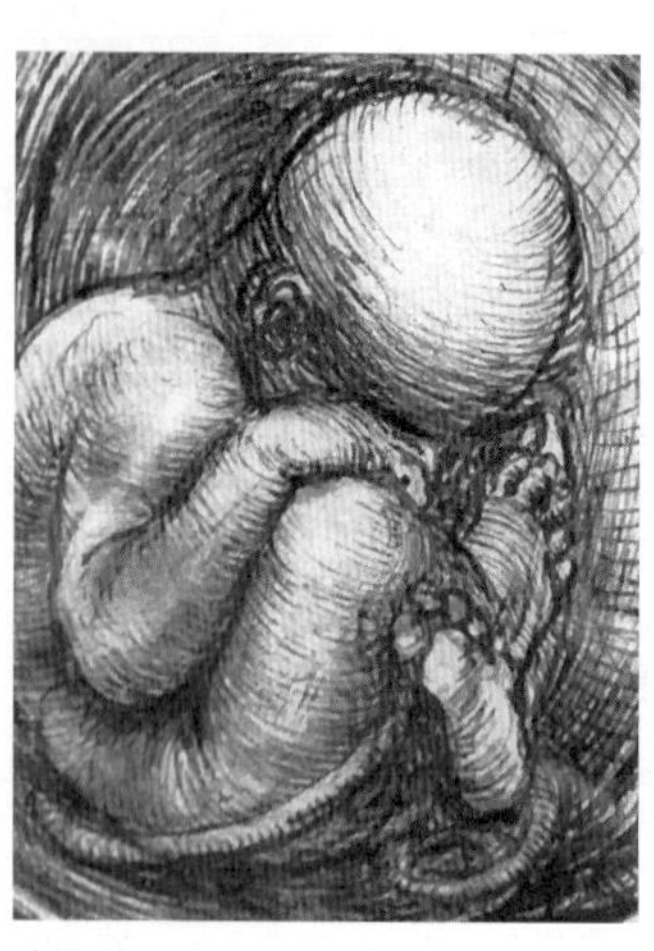

胎児のドローイングの力強くうねる曲線群がゴッホの『星月夜』を連想させた

## ゴッホの『星月夜』を連想させる胎児のドローイング

この子宮の中の胎児の絵を、画面に顔を近づけて見ていたら、そのうねるような曲線群が生み出す線の動きに、目を奪われた。自分は、そのドローイングを前に、なぜかゴッホ（1853〜90年）の

『星月夜』（1889年）の筆のタッチのことを連想し、思い出していた。月や星が、まるで光の螺旋の渦のようにうねるゴッホの絵、それに似て、ダ・ヴィンチの子宮と胎児を描き出す線は、激しく、力強く、うねっていた。こういう体験は、複製の図版では、なかなか実感できない。これまで本で何度も見てきたドローイングではあったが、本物を目の前にして、その線を生み出すダ・ヴィンチの「神の手」のような存在に、改めて圧倒された。

この激しくうねるような線は、ダ・ヴィンチの晩年の、他のデッサン群の中にも見ることができる。そちらの方が、ゴッホの絵に、主題としても似ているともいえるが、嵐を描いたシリーズだ。

大自然の猛威を前にすると、人は世界の終末を思ったりもするが、ダ・ヴィンチが描いているのも、あたかも世界の終わりのような、そのカタストロフが到来したかのような場面だ。また嵐ほど壮大な規模ではないが、流れる水が作り出す渦の動きにもダ・ヴィンチの関心は向けられていた。大英図書館で見た、レスター手稿の「水の動き」の研究は、どちらかといえば動きそのものの探究、つまり物理学的なニュアンスのアプローチだったが、こちらはそれに対していえば、ハリウッド映画が描く、世界の終わりの光景のための準備スケッチ、いわば心理的・映像的な効果を狙った探究ともいえる。ダ・ヴィンチは、このような嵐の光景を描いて、いつかそれを大きな画面の絵画作品に使おうと構想したのだろうか。これら晩年の、ダ・ヴィンチの心の中には、どんな嵐の光景が渦巻き、何がダ・ヴィンチをそんな空想に駆り立てたのだろうか。

ともあれ、このクイーンズギャラリーの「LEONARDO DA VINCI A life in drawing」展、たかが小さな紙片のスケッチばかりを集めた展覧会であったが、そこに描き出された世界

晩年の、カタストロフのような嵐を描いたドローイング

は多彩で壮大で、あらためてダ・ヴィンチの偉大さ、というものをかみしめた。こんな男、他にいない。

## 『2001年宇宙の旅』とダ・ヴィンチの絵

2019年夏のロンドンでは、そんなことで大英図書館とクイーンズギャラリーで、2つのレオナルド・ダ・ヴィンチ展を見た。それが旅の目的で、じつはロンドン滞在は2日間という短いものだった。正確には3泊4日だが、初日と最終日は、ホテルと空港の移動だけだったので、見学に使えたのは2日間だけだ。しかし短い時間ではあっても、せっかくのロンドンだ。他にもいくつかの展示を見た。

大英博物館で開催されていたのは「マンガ展」だった。世界の漫画を集めた展覧会ではない。英語での展覧会タイトルも「MANGA」展、つまり日本の漫画を、かつて浮世絵が西洋に紹介されたように、手塚治虫（1929～89年）や『進撃の巨人』（作者：諫山創、2009年～）など、日本が世界に誇る文化として紹介しようという企画だった。この夏のレオナルド・ダ・ヴィンチ展は、絵画や壁画ではなく（もっとも壁画は建築物と一体化しているから、ロンドンに巡回とかできないが）、ドローイングや手稿ばかりが展示されていた。しかし、偶然の一致ではあったが、そういうスケッチやデッサンのようなものばかり見た目には、漫画という、やはり小さな紙に描かれた線が作る表現は、とても似たものであった。日本の漫画と、レオナルド・ダ・ヴィンチのドローイングや手稿（それは文字と絵の組み合わせでもある！）は、視覚文化というものの可能性を改めて見せてくれ、それがまたレオナルド・ダ・ヴィンチの見方にも、新鮮な見方を与えてくれた。

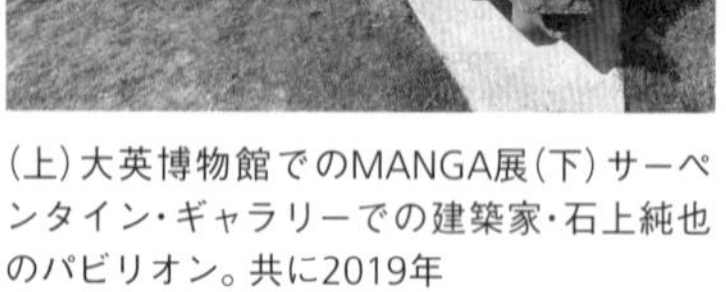

（上）大英博物館でのMANGA展（下）サーペンタイン・ギャラリーでの建築家・石上純也のパビリオン。共に2019年

その夏のロンドンでは、大英博物館のマンガ展以外に、もう１つ日本の現代文化と出会わせてくれるものがあった。ハイド・パークの中にサーペンタイン・ギャラリーという美術館があるのだが、その前庭に、建築家・石上純也（１９７４年〜）のパビリオンが（期間限定で）建てられていたのだ。細い柱に、それを覆うテントのような大きなうねる屋根だけの造形だ。屋根の上には、鉄平石が敷き詰められている。それだけのシンプルな建築なのだが、たとえば桂離宮の池の岸にある海岸をイメージした石たちを想起したり、あるいは水辺の動物（カメなど）が憩うシェルターの形態などを連想させ、そこに見えるものだけでなく、見ることのできない光景や、生命の息吹を感じさせる、穏やかに寛げるスペースが立ち現れていた。マンガ展に紹介されている作品は、日本で読むこともできるが、石上純也のパビリオンはこの場所限定のもので、しかも暑く乾いた夏という、日本とは違う空気感の中での場であり、ロンドンまで来た甲斐があったと思わせるものだった。

デザインミュージアムというところにも行った。映画『２００１年宇宙の旅』（１９６８年）の監督作品で知られるスタンリー・キューブリック展が開催されていたのだ（キューブリック、１９２８〜99年）。映像の中でしか見たことのない、近未来ＳＦの舞台美術というか小道具が、あれこれ並べられていた。中でも、『２００１年宇宙の旅』のラストシーンで、宇宙遊泳する胎児が登場するが、その胎児の模型そのものも展示されていた。今回のロンドンでは、大英自然史博物館のヒトの胎児模型の展示、そしてクイーンズギャラリーでのダ・ヴィンチが描いた胎児、そしてこの『２００１年宇宙の旅』の胎児模型と、胎児づくしの旅にもなった。人が生まれる、そして死ぬ、という生命の営みの中で、その「生まれる」ことに焦点を当てた胎児の造形物は、ダ・ヴィンチ没後５００年の記念展示を見にきた自分にとっても、ダ・ヴィンチの「死」ということにリアリティを感じさせるもの

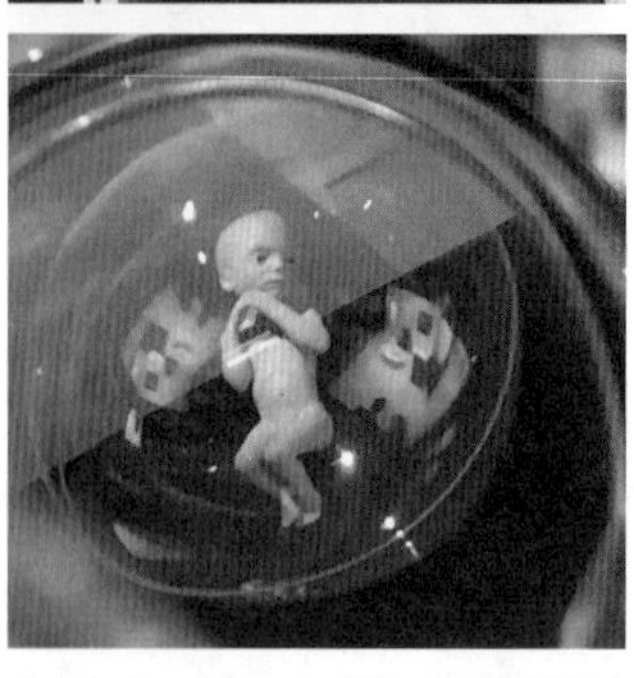

スタンリー・キューブリック展で「501年」という時間を思う。デザインミュージアム（ロンドン）

であった。

何より、『2001年宇宙の旅』というタイトルに改めて直面して、ダ・ヴィンチ没後500年の5月2日が過ぎたいまは、501年目の旅なんだと、2001年宇宙の旅、「ダ・ヴィンチ、501年目の旅」と、その音の響きを味わってもいた。

## 遠近法……ダ・ヴィンチの絵画の科学Ⅱ

ここで遠近法の説明をしたい。レオナルド・ダ・ヴィンチの「絵画の科学」には、主に3つのアプローチがある。解剖学と遠近法と明暗法だ。

解剖学というのは、「かたち」に関するもので、遠近法は「空間」、そして明暗法は「光」さらには色彩に関するものだ。ダ・ヴィンチが生きたルネサンスの時代は、絵画は科学的なものと考えられていて、その制作にあたっては、解剖学は生物学・医学と、遠近法や明暗法は物理学や数学とも関わるもので、そういう素養をもった画家が、素晴らしい絵画を描けると考えられた。ことにレオナルド・ダ・ヴィンチは、そういう探究において傑出しており、画家であると同時に科学者でもあった。

しかし芸術というのは、果たして科学なのか？　と、今日の文系・理系などと専門分化した時代に生きるものの目からすると、やや奇妙にも見える。芸術というのは、科学のような客観的で冷徹な手法とは違って、もっと心や身体感覚に訴えるものなのではないか。近・現代の芸術観からすると、そんな風にも思うが、ともあれ、かつてはいまの科学と芸術の中間領域のようなものとして「絵画」というものがあり、「絵画の科学」というような探究の仕方があったのだ。

レオナルド・ダ・ヴィンチは、そういう「絵画の科学」とでもいうべきやり方に、もっとも傑出していた。そんなこともあり、たとえば『ザ・ヌード』（1956年）などの著作で著名なイギリスの美術史家ケネス・クラーク（1903～83年）は、レオナルド・ダ・ヴィンチについて論じた本の中で、ふつう考える「美術」というものの中で見ると、ダ・ヴィンチの絵画作品は美術とは違うものなのではないか、と述べていたりもする。ぼくも、ダ・ヴィンチの絵画を見て、そんな感想をもったことがある。

ワシントンのナショナル・ギャラリーに、ダ・ヴィンチが20代の前半の年齢の頃に描いた『ジネブラ・デ・ベンチの肖像』という、若い女性をモデルにした絵画作品が展示されている。この絵は、美術館の展示室の中で、レンブラントの絵画などと同じ部屋に展示されているが、それを初めて見たとき、ケネス・クラークの言っていることと同じように、それが「絵ではない何か」に見えた。とくにレンブラントの絵画という、優れた美術作品が同じ部屋に展示されていて、それと比較できたからでもあるが、レンブラントの絵を「美術」だとすれば、ダ・ヴィンチの『ジネブラ・デ・ベンチの肖像』は、美術とは違うもの、強いて言えば「設計図」か何かがそこにある、というふうに思えたのだ。あるいはレンブラントの絵が、体温のある人の肌のようなものだとすれば、ダ・ヴィンチの絵は、なんというか死体か何かそういうものがそこにある、というふうに感じられたのだ。

もちろん、ダ・ヴィンチの絵画が「美術ではない」と評されても、ダ・ヴィンチも誰も困らない。別に美術でなくても、とてつもない何か、であることに変わりはないからだ。こういう、科学と芸術の境界線上にあるものが自分は好きで、だからこんな本を書いているのだが、こういうスタンスというかアプローチは、ルネサンス期のヨーロッパに限らず、もう少し普遍的に見られるものでもある。

自分の恩師である解剖学者の養老孟司先生が、森鷗外をめぐるあるエピソードについて話していたことがあるが、その話がダ・ヴィンチの「絵画と科学」に似ているのだ。その話とは、若い芥川龍之介(1892〜1927年)が鷗外の仕事場を訪ねたときのエピソードだ。その頃、森鷗外は歴史小説を書いていて、書くべき事項をカードにして床に置き、それを動かして配置しては小説の構想を練っていたという。それを見た芥川は、直感的に「これは文学ではない」と感じたというのだ。ケネス・クラークがダ・ヴィンチの絵画を「これは美術ではない」と言っているのと同じことになる。もちろん鷗外の小説は「文学」でないとしても、優れた何ものか、であることに変わりはない。鷗外は、大学では医学部を卒業し、科学的な思考法が身についていた。その制作現場を見た「文学」に心酔する芥川は、そこに自分が考える文学とは別のものがあると直感した、という訳だ。このエピソードを楽しそうに話している養老先生を見ていると、その姿が森鷗外に重なって見えた。解剖学を論じる養老先生は、科学の側から「それは科学ではない、哲学だ」と言われ、哲学の側からも「それは哲学ではない」と言われたことがあるが、そういう、ダ・ヴィンチ→鷗外→養老先生、という系譜というかジャンルが、確かに（いまも）ある。

## 遠近法には4種類がある

ではダ・ヴィンチの「絵画の科学」とは、どういうものなのか、ここでは遠近法について説明してみようと思う。

この本では、ダ・ヴィンチの科学研究や絵画制作について、あちこちのページで書いているので、ここではダ・ヴィンチがどのような遠近法の探究をしたかということではなく、その理解のための補助として、遠近法とはどういうものか、についてまとめてみたい。

絵画は2次元の平面に描かれる。しかしこの世界は、奥行きという3次元の空間でもある。そこで2次元の平面に、どうやったら3次元の空間を描くことができるのか、その技法が遠近法ということになる。遠近法といっても、たった1つの描き方があるのではなく、絵画の中に奥行きや立体感を描くための手法は、いくつかある。ここでは4つの遠近法を説明しよう。

1.「重なり」の遠近法
2.「陰影」の遠近法
3.「色彩」の遠近法
4.「縮小」の遠近法

この4つが絵画の遠近法で、実際の絵画では、このうちのいくつかがミックスされて「遠近感」や「立体感」が表現されている。それぞれを説明していこう。

まずは「重なり」の遠近法。これは、もっともシンプルな空間の遠近表現だ。つまり2つのものがあって、その一部が重なっているとき、奥にあるものは手前のものに隠されて、重なっている部分が見えない。そういう描き方だ。そんなこと、遠近法の勉強をしなくても誰でもわかっていることかもしれないが、いちおう言語化して説明しておく。ともかく、2つ、あるいは3つ以上のものが重なることで、そのものの位置の前後関係がわかる。と同時に、前後関係がある、ということで、それに付随して空間の奥行きが感じられるようになる訳だ。

次に「陰影」の遠近法だ。これはとくに小さいものの立体感を表すのに有効な描き方だが、ものに影を描くことで、そのものに立体感が生まれる。机の上の白いコーヒーカップなどに、陰影を描くことで、そのカップの丸みが表現され、その結果としてカップの奥行き、遠近感が画面に生じるということになる。これは室内の、窓から入った光が作る影、あるいは屋外の山の一面に落ちた太陽の光の影など、大きなものにも当てはまる。陰影を描くことで、遠近を描ける。

さらに3番目の「色彩」の遠近法。色彩ということについては、あとで「光」の明暗法のところで、色彩学の理論についても書くので、ここでは簡単に説明すると、色彩には、画面が飛び出して見える色と、画面の奥に引っ込んでいくように見える色があるということだ。色の基本色である「赤」と「青」でいうと、赤は手前に飛び出して見え、青は奥に引っ込んで見える。さらに色の四原色である、赤と青、それに黄色と緑の4色でいうと、手前に飛び出して見えるものから順に並べると、

赤　↓黄色　↓緑　↓青

ということになる。だから画面に赤と緑が並んで塗られていたら、赤いところは手前にあるように、緑のところは奥にあるように見える効果がある。これが色彩の遠近法だ。

そして4番目の「縮小」の遠近法。これは「線」の遠近法といわれることがある。縮小、つまり近くのものは大きく、遠くのものは小さく見える、ということだ。だから人物を並べて描いたとき、その大きさに違いがあって、一方が他方の倍くらいの大きさで描かれていたら、大きい方が手前に、小さい（＝縮小）方が奥にあるように見え、空間の遠近が生まれる。

この遠近法は、線遠近法ともいわれるが、ふつう遠近法の理論というと、この縮小の遠

近法（＝線遠近法）のことでもあるので、少し詳しく説明してみよう。

## 縮小の遠近法＝線の遠近法？

なぜ、縮小の遠近法が、線遠近法と同じなのか。遠くのものが小さくなるのと、線を引いて表現される遠近法の何が共通しているのだろう。この説明からはじめよう。平行線があるとする。手前から奥へと伸びている平行線だ。平行線だから、どこまでも平行のままで、その間隔も変わらない。概念としてはそうだが、しかし現実の空間に置くと、平行線は「どこまでも平行」ではない。どういうことだろう。

ここにも「縮小」の原理がはたらいている。ここでは2本の線が平行ということなのだから、2本の線の間隔は、どこまでも同じとなる。しかし「遠くのものは小さくなる」。これは平行線の場合でも、同じことが起こる。つまり平行線の間隔は、奥に行くほど小さくなり、そのまま小さくなり続けると、やがて2本の線は合流する。

線路の光景や、長い廊下をイメージしてもらうと良い。平行線は、遠くへいくほど幅が狭くなり、やがては1点に合流するから、その形は三角形だ。手前が広く、いちばん遠くが三角形の頂点になる。遠近法では、その遠くで交わる点を「消失点」という。

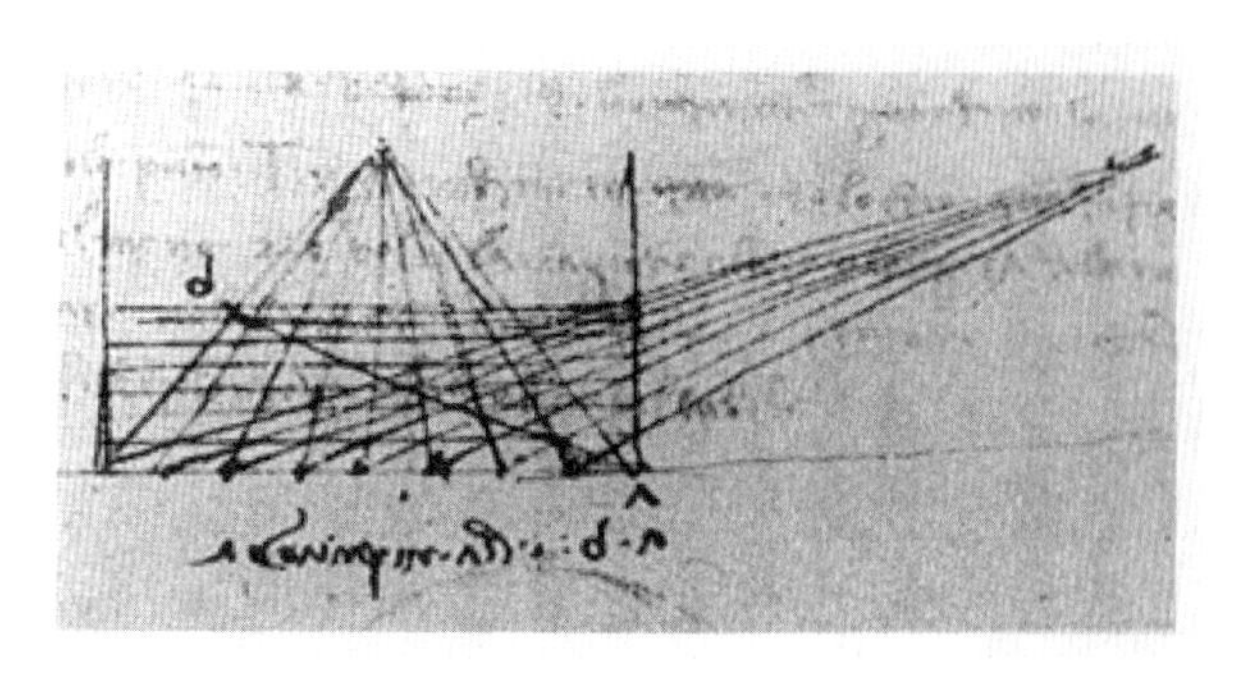

ダ・ヴィンチが遠近法を科学として探求していたことを示す図

レオナルド・ダ・ヴィンチは、この平行の線が、どのように幅が縮小し、やがて消失点へと合流していくかを、作図をしながら探究し、それを『最後の晩餐』の構図に応用したりした。

遠近法の探究として、レオナルド・ダ・ヴィンチはこんな図を残している。この図を読み解くことで、ダ・ヴィンチが取り組んだ遠近法の科学というのがどのようなものか、わかる。こんな図だ。

この図の左半分に、三角形が描かれている。その三角形と底辺を同じくするもう1つの三角形が右に傾きながら伸びている。それぞれの三角形の中には、頂点へと向かう、何本かの線も引かれている。

この図は、何を描いているのか？

これがレオナルド・ダ・ヴィンチの遠近法探究の図の1つだが、この図の意味を理解するために、別の図

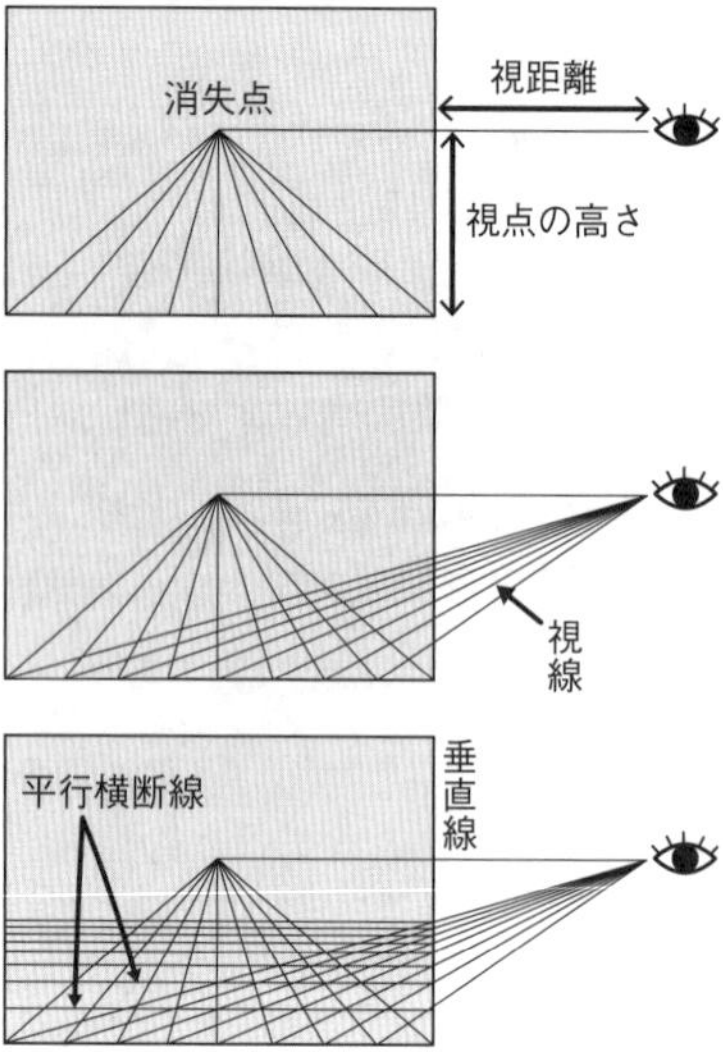

辻茂『遠近法の誕生』（朝日新聞社）を参考に編集部で作図

（202ページ）を見てみよう。

上から下に、3つの図が並んでいる。いちばん上の図を見てみよう。四角形の中に三角形が描かれている。その三角形の底辺から、等間隔の線が、9本、三角形の頂点に向かって伸びている。この頂点が、遠近法の「消失点」になる。この消失点に向かって、底辺から伸びた9本の線の間隔が狭くなっている。これが縮小の遠近法を描いている図だとはお分かりいただけると思う。

この三角形の頂点から、底辺に対して水平に伸びる線があり、その線の末端に人の目が描かれている。これが、この遠近法空間を見ている人の、視点の高さになる。また視距離と書かれているが、これがその言葉の通りで、視点からの距離になる。

以上が、いちばん上の図だ。

次に、真ん中の図。この図には、目が描かれた「視点」から、三角形の頂点に伸びる斜線が描かれ、「視線」という文字がある。この視線は、三角形の底辺の9つの線のはじまりにつながっている。

そしていちばん下の図。これが先に載せたレオナルド・ダ・ヴィンチの遠近法の作図と同じものだが、視点からのびた9本の視線が、三角形の9本の線と「垂直線」が交差するところから、今度は水平線が引かれている。「平行横断線」と書かれている。この線の間隔は、下から上にと、狭くなっていく。つまり、遠くに行くほど間隔が「縮小」し、それがどんな比率で縮小していくのか、それを作図で示しているのだ。

この三角形が廊下の床で、そこに8個の正方形が敷き詰められ、それが奥へも敷き詰められていると考えてみよう。その時、正方形が、どのように遠く（つまり奥）に向かって縮小しているかを、この図は描いている。これが線遠近法だ。それはまた「縮小」の遠近法でもある。

レオナルド・ダ・ヴィンチは、こんな風にして、消失点へと収斂していく遠近法の作図法を摑んだ。そしてこの構図を、絵画の制作でそのまま使っている。

このような遠近法の手法で描かれた絵画の代表的なものが『最後の晩餐』になる。それはダ・ヴィンチのミラノ時代の作品だが、もっと若いとき、フィレンツェ時代のデッサンにも、この遠近法を探究していたことがわかるものもある。『東方三博士の礼拝』に関連して描かれたもので、後述する、2019年にパリのルーブル美術館で開かれたレオナルド・ダ・ヴィンチ展にも出品されていた。この章の最後に、その時の写真を載せて、ダ・ヴィンチの遠近法研究の話のまとめとしたい。

ルーブル美術館でのダ・ヴィンチ展(2019年)に展示されていた『東方三博士の礼拝』のドローイング

# 第４章

## ２０１９年冬、ロンドン
## ……ダ・ヴィンチの絵画

## 「サイダー」で酔っ払ったままナム・ジュン・パイク展へ

2019年の12月、再びロンドンに行った。

こんどはロンドン・ナショナル・ギャラリーで、ダ・ヴィンチの画期的な展覧会があるというのだ。今回も、滞在は2日間という短いものだった。その後に、パリにやはり2日間行く。

ロンドンに着いて、まず行ったのは、パブだった。古い銀行だった建物をパブに改装したという店で、夏にロンドンに来たときに足を運んだのだが、なんと店が閉まっていて入れなかった。そのリベンジにと、ロンドン滞在の初日、まずはそこに行ったのだ。The OLD BANK OF ENGLANDという名のパブは、銀行だっただけあって、店内はふつうのパブよりは広い。その日は、午後にテートモダン美術館で「ナム・ジュン・パイク展」の入場予約をしていて（ナム・ジュン・パイクは韓国生まれの現代美術家、1932〜2006年）、そこから徒歩でも行けるこのパブで昼食を取ることにしたのだ。

自分は、アルコールにはさほど強くなく、また銘柄に詳しくもない。何より、その後に美術館に行く予定もある。なので、パブではあるが、ワインやウイスキーはやめて、飲み物はサイダーを注文した。CIDERという文字とリンゴのイラストが描かれた大きな樽からグラスに注がれたサイダーを飲みながら、ステーキを食べた。

ロンドンのパブ「The OLD BANK OF ENGLAND」でリンゴの酒サイダーとステーキ

しかし、これがいけなかった。サイダーだから、日本でいえば三ツ矢サイダーとかスプライトみたいな飲み物で、それがリンゴ味なのだろう、くらいに思っていた。ところが、イギリスのCIDERというのは、リンゴの発泡酒なのだ。ブドウから作られる発泡酒がシャンパンであるように、素の果物がリンゴだとCIDERになるという訳だ。確かに、この名前というか文字は、読み方を換えればシードルと読める。つまり、自分は、それがアルコール飲料だと知らず、ガブガブと飲んで、そのまま美術館へと行くことになった。

パブから美術館までは、徒歩で10分くらいの距離だった。歩きはじめて、どうも、何か

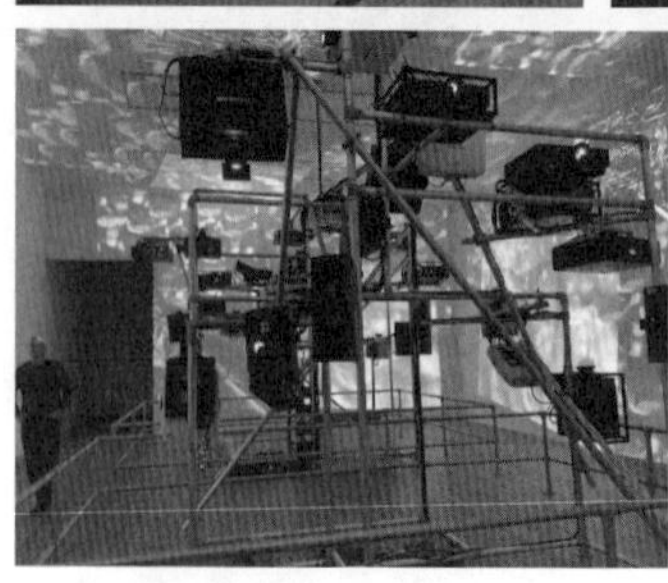

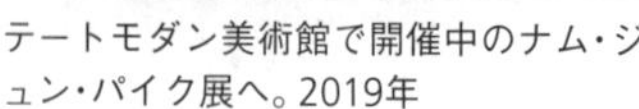
テートモダン美術館で開催中のナム・ジュン・パイク展へ。2019年

が違う。気分はいいのだが、ややグラグラする。あれはお酒だったのでは、と気づいた頃には、自分はテムズ川の橋の上をいい気分で（酔って）歩いていた。テートモダン美術館のナム・ジュン・パイク展の予約の時間までには2時間ほどあった。それまで常設展を見ようと、また万が一、予約した時間に遅れてはいけないと、時間に余裕をもって1日の計画を立てていたのだ。

　しかし美術館に着いて、酔いでやや体をもて余し、ちょっとだけでもとロビーにあった大きなソファに身を沈めた。とても気持ちの良いクッションの座り心地で、目を閉じると眠りに落ちた。

ふと気がついて時計を見ると、予約したナム・ジュン・パイク展の時間を30分過ぎている。2時間以上も、美術館のソファで寝てしまったのだ。慌ててパイク展の入り口に行き、予約した iPhone の画面を見せた。「30分、過ぎてしまっているのだが」と謝ると、受付の人は「誤差の範囲だ」とすんなりと入れてくれた。居眠りをしてしまった後だが、ぐっすり寝たので（それにサイダーも美味しかった）、旅の疲れもすっかり取れて、冴えた頭でナム・ジュン・パイクの作品を鑑賞することができた。

## 機械が表現する距離感

ナム・ジュン・パイクは、20世紀の現代芸術の世界で「ビデオ・アート」という分野の創始者である。19世紀にエジソン（1847〜1931年）によって発明され、20世紀に爆発的に普及したテレビ、その進化形であるビデオ、そういう新しい現代のメディアを使ってナム・ジュン・パイクは、かつての画家たちが「筆」で絵を描いたように、芸術作品の創造を行った。

たとえば『TV仏陀』（1974年）という作品。これは3つの装置から成り立っている。

ビデオカメラと、テレビモニターと、仏陀像の彫刻だ。まずカメラが仏像を撮る。その映像がモニターに映る。そして瞑想するような姿の仏像が、そのテレビモニターの映像を凝視するように向き合っている。

まずは、リアルに実在する仏像と、映像としての仏像の対比。映像は仏像そのものではないが、その姿形は実在する仏像と、全く同じである。この対比によって、現実とは何か、映像の中のフィクションとは何か、バーチャルとは何か、ということが浮き彫りになる。

さらに、それらの装置の「距離」感。つまりインターネットの時代とは（電話の時代では、既に音声はそうだったが）、離れたところにあるものを「繋ぐ」。パイクの『TV仏陀』では、仏像とカメラとモニターの3つの装置が、それぞれ離れ、そしてそれが「1つ」に繋がれている。空間に置かれた作品として、その構造が一望できる。この距離も、またこの作品の要素である。

さらに現代アートとのつながりでいえば、レディメイド（既製品）ということ。現代アートの創始者マルセル・デュシャンは、美術館に市販の便器を置いて『泉』（1917年）と題して展示しようとした。他にも、食器乾燥機、自転車の車輪など、今日の消費社会で日常的に溢れている既製品を美術館に展示することで、いわば静物画のモチーフを拡大させた。『TV仏陀』にも、カメラ、テレビ、置物という、いわばレディメイドを置くことで、しかもその独自の「組み合わせ」によって、ある世界をそこに現出させた。

宗教的な瞑想から、消費社会の日常まで、全てを取り込んで、その作品は成立している。というような『TV仏陀』以外にも、テートモダンの『ナム・ジュン・パイク展』には、様々な作品が展示されていた。あと2つ取りあげてみると、1つは『TVガーデン』(1974年)。自分がこの作品を初めて見たのは、大学生のときで、1984年、藝大の横にある東京都美術館で、日本では初めての大規模なナム・ジュン・パイク展があった。もう40年の昔のことで、こちらの記憶も曖昧なのだが、脳裏にその細部までくっきりと残っているのが、この『TVガーデン』だった。

観葉植物を床にびっしりと敷き詰め、その間の空間にテレビモニターをたくさん配置し、そのモニターの映像が、赤や緑やピンクや、いろいろに光り輝いている。ステンドグラスというのは、中世のヨーロッパの大聖堂で盛んに作られたものだが、そのガラスを通した鮮やかな光の色彩にも似て、パイクの『TVガーデン』は煌(きら)めいていた。2019年、ロンドンのテートモダンでのパイク回顧展でも、その『TVガーデン』は古びることもなく(時代の先端をいっているようなファッションやデザインは、年月の中で古臭くなることが多いが)、美しく、そしていまになっても「いま」を照らし出しているような鮮やかさがあった。テレビモニターの光は、絵具や、ステンドグラスなどと同じく、美術の1つのメディウムとなり、実在する観葉植物を照らし出す光ともなって、植物という生命と、テレビモニターの光との協奏曲がそこにあった。

展示には、この手法をさらに大規模にした『システィーナ礼拝堂』(1994年)というビデオ・インスタレーションもあった。こちらはモニターではなく、たくさんのプロジェクターをオブジェのように組み合わせ、それらが壁や天井に目眩(めくるめ)くような映像を映し出す。ローマ教皇のヴァチカン宮殿にあるミケランジェロが描いた壮大な壁画だが、パイクは映像によって、それになぞらえた建築空間を作ろうとしたのだ。

このルネサンス美術との照応によって、ああ自分はルネサンスの美術家レオナルド・ダ・ヴィンチの展覧会を見ることが第一の目的で、ロンドンに来たのだ、と思い出した。ナム・ジュン・パイクの作品は、その時代の最新のテクノロジーを駆使した作品ということで、レオナルド・ダ・ヴィンチの世界と共通するところもある。とくに「機械」というものへの愛好趣味は、ダ・ヴィンチに近い。いつの時代にも、こういう芸術家は現れ、レオナルド・ダ・ヴィンチもそういうタイプの芸術家だったのだ、と改めて思い出した。

## 『岩窟の聖母』だけに焦点を当てたロンドンのナショナル・ギャラリー

そしてロンドンのナショナル・ギャラリーに「レオナルド・ダ・ヴィンチ展」を見に行った。繰り返すが、２０１９年12月の、冬の日のことだ。

この展示は、ダ・ヴィンチのたった1つの絵画『岩窟の聖母』に焦点が当てられていて、その1枚の絵画の見方をめぐって、あれこれの展示がされている。そして展示の最後に、その『岩窟の聖母』の本物が展示されている。しかも、本物の絵画と、プロジェクション・マッピングが合成されて、劇的な演出がされている。

レオナルド・ダ・ヴィンチの『岩窟の聖母』は、同じ図柄のものが2点ある。パリのルーブル美術館にあるものが第1作、ロンドンのナショナル・ギャラリーにあるのが第2作とされる。第1作は、１４８３年から86年頃に描かれた。つまりダ・ヴィンチが30代前半の頃の作だ。そして第2作は、その10年以上の後、１４９５年から１５０６年に描かれたとされる。このロンドンでのダ・ヴィンチ展で焦点が当てられているのは、もちろん、ロンドンのナショナル・ギャラリーに所蔵のものである。

ロンドン・ナショナル・ギャラリーの「LEONARDO DA VINCI – PAINTER AT THE COURT OF MILAN」展は、４つのコーナーで構成されている。まず全体だが、先に書い

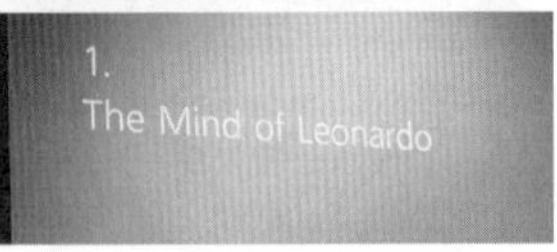

ロンドン・ナショナル・ギャラリーのダ・ヴィンチ展は同館所蔵の『岩窟の聖母』に焦点が当てられていた。2019年冬

たように、この美術館所蔵の『岩窟の聖母』にすべての展示の焦点が当てられているが、それは、この展覧会のサブタイトル「ミラノ宮廷の画家」が物語っている。ダ・ヴィンチは、ミラノに住んでいるときに、この絵を描いたのだ。そのミラノの宮廷画家・レオナルド・ダ・ヴィンチについての展示をするということは、『岩窟の聖母』制作現場の舞台背景を見せることでもある。

さて、4つの構成になっている展示だが、まずは「1.The Mind of Leonardo」で、全体のイントロ的な内容となっていて、ダ・ヴィンチが多くのノートを残していること、アルプスの山岳風景のスケッチなどをしていることが解説される。これは『岩窟の聖母』の背景にある山々の描写と関連づけようというものでもある。

　そして展示の第2室は、「The Studio」と題されて、ミラノのダ・ヴィンチの仕事部屋を再現したような展示になっている。ここにはプロジェクションされた映像や、その周囲に筆や絵具、パレットなどが置かれた机や、イーゼル、額縁、絵具の調合に使われたと思われる化学薬品の瓶などが置いてある。タイムスリップして、ダ・ヴィンチのスタジオに迷い込んだような展示になっている。

　映像は、『岩窟の聖母』がほぼ原寸大で映されているが、それがX線や赤外線などいろ

ダ・ヴィンチの仕事部屋を再現したようなロンドン・ナショナル・ギャラリーの展示

いろな物理学の方法によって撮影された画像に変わったり、ルーブル美術館の『岩窟の聖母』とロンドンのナショナル・ギャラリーのものを比較するために、顔の部分だけがルーブルのものに合成されたりと、いろいろな観点から『岩窟の聖母』の創造や造形の秘密に迫れるように作られた数分の映像になっている。

3番目の展示は、「The Light and Shadow Experiment」と題された部屋で、入り口のパネルには「影と光は、人体を描くのに最も確かな手段だ」というようなダ・ヴィンチの言葉が書かれ、中の展示物は、立方体や、面のある球形に、鑑賞者が様々な光を当てて、そこにできる影と光がどのように見えるかの実験ができたり、同じく、『岩窟の聖母』と似た人物・背景・構図の立体模型に光を当てて、その見え方の変化を確かめるというような、やや科学博物館で見ることができるような展示物が置かれている。

ともあれ、そのような展示物を通して、ダ・ヴィンチが探究した明暗法がどのようなものなのか体感できるようになっている。そういう体験を通して、『岩窟の聖母』の描写に、より親しみをもって、様々な見方からアプローチする視点を養える。

そして最後の、4番目の展示は「The Imagined Chapel」と題されたもので、いまは残っていない、『岩窟の聖母』が置かれたミラノにあるサン・フランチェスコ・グランデ教会

『岩窟の聖母』の明暗法を体感できるロンドン・ナショナル・ギャラリーの展示

の礼拝堂をプロジェクション・マッピングの映像で再現し、そこに「本物」の『岩窟の聖母』を展示して、この絵が一体どのような祭壇に置かれていたのかを見せてくれるものだ。

　展示室に入ると、暗い空間に建築の骨格のような像が、立体的にあちこちのスクリーンに投影されていて、まずは『岩窟の聖母』が展示されていた建物に入ったという実感を得る。さらに進むと奥の小部屋に続く通路があり、そこを折れ曲がりながら進むと、次の部屋の正面の壁に、『岩窟の聖母』が展示されている。自分がこの部屋に入ったとき、絵は、豪華に飾られた祭壇の中にあった。初めは事情がわからなかったので、そういう部屋を再現したものかと思ったが、しばらく見ていると、祭壇の装飾が別のものに変わる。そこで、それが投影された映像だとわかる。最後に、暗闇の空間の中に、絵だけが光を当てられ浮かび上がり、しかも絵をカバーするガラスが、天井の緑の光を反射しているので、その絵だけは投影された映像ではなく、実在する本物の絵だとわかる。

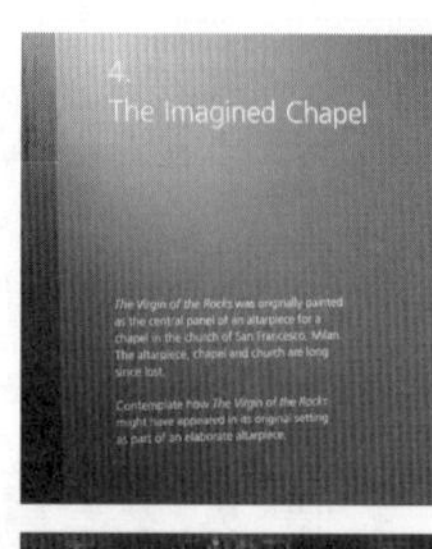

かつて『岩窟の聖母』が展示されていたサン・フランチェスコ・グランデ教会（ミラノ／現存しない）の祭壇をプロジェクション・マッピングによる映像で再現し配置

## 実在感ありすぎの幼児＝イエスの描写

この絵は、夏にロンドンに来たときにも、じっくりと見た。この部屋ではなく、常設展示の、いちばん奥の部屋に、やはりダ・ヴィンチの木炭画『聖アンナと聖母子のための画稿』などと一緒に展示されていた。４ヶ月前のことだが、その時のロンドン滞在で、何よりもこの絵を見たことをはっきりと覚えていた。夏のロンドンへの旅も、レオナルド・

ダ・ヴィンチの展覧会を見ることが目的だったので、ナショナル・ギャラリーでも、ダ・ヴィンチの絵に、あえて注目したということもあった。しかしそれ以上に、この『岩窟の聖母』をしっかりと見る、あるきっかけがあったのだ。

それは大英図書館でのレオナルド・ダ・ヴィンチ展「LEONARDO DA VINCI : A Mind in Motion」に展示されていた、1枚のデッサンだった。アランデル手稿の中の1枚だという、その紙片には、幼児の手足などが描かれていた。レスター手稿とアランデル手稿で構成された展示だったので、それが展示されたのだろうが、展覧会のテーマである「Motion」も感じさせる、動きのある一瞬を捉えたような、幼児の体の部分のデッサンだった。たっぷりとした脂肪のある、かわいい足や手。その手首は、太った体に輪ゴムでも巻いたかのように、溝が食い込んで、それがまた赤ちゃんの肌のぷっくりした感じを伝えていた。展示には、『岩窟の聖母』制作のためのデッサンである、との説明もついていた。その後にナショナル・ギャラリーに行って、『岩窟の聖母』を見たのだ。当然、こちらの視線は、その絵の中の、幼子イエスの描写に目がいった。皮膚の、皮袋のような質感といえばいいのだろうか、以前はこの幼児の描写が、どうも子どもらしい肌の質感とは別のところにあって、心惹かれることはなかった。しかし絵というのは、きっかけがあると、別の見方で見

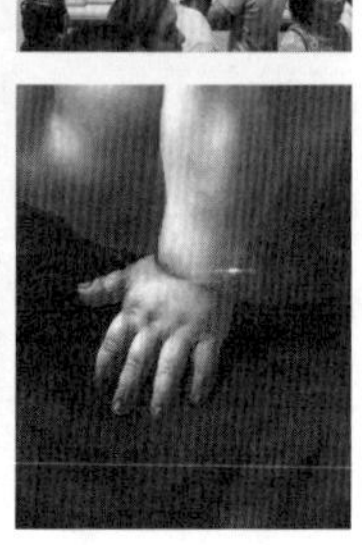

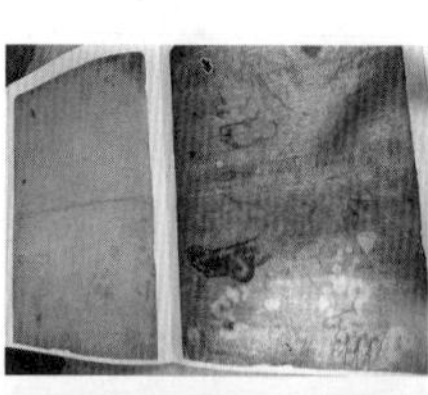

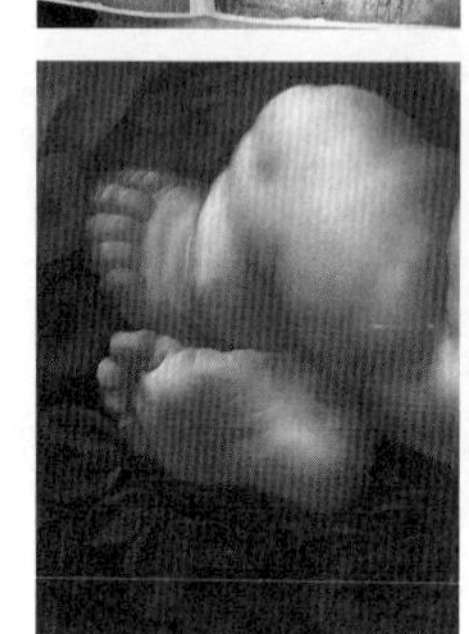

2019年の夏は、同じロンドン・ナショナル・ギャラリーで『岩窟の聖母』に描かれた幼子イエスの皮膚の質感に注目した

えてくる。ダ・ヴィンチのデッサンを見ると、ではそれが絵画として完成した描写になったとき、どんな風になるのか。そう思って『岩窟の聖母』の中で、幼児にばかり目がいく。その生々しく実在感ありすぎの幼児の描写に、初めて絵画としての力を感じてしまった。

## 『岩窟の聖母』、マリアの顔が光らない、なぜだ!?

その夏に見た『岩窟の聖母』が、今度は真っ暗な部屋の中の、バーチャルな祭壇に囲まれて展示されていた。また再会を果たした。

じっくりと絵を眺める。今回のナショナル・ギャラリーの展覧会では、この展示室までに3つのコーナーがあって、イントロともいえる「1」では、ダ・ヴィンチがミラノに住んでいた頃に登山したアルプスの山塊のパネルがあったせいか、『岩窟の聖母』の「岩窟」の描写に目がいく。そもそも、こんな幼い子どもを連れた若い母親が、なぜにこんなアウトドアな岩山の中にいるのか。どうして呑気（というふうに見える）に、2人の子どもの出会いに立ち会っているのか。日常、という感覚からすれば、違和感のある場面だが、しかしその違和感ゆえ、ある種の神秘さや崇高さ、神聖さが感じられる。またこの展覧会の「2」では、ダ・ヴィンチのスタジオが再現され、その制作の現場を垣間見ているような感覚になった。名画というのは、あまりに有名で、その絵柄もずっと前から知っているので、それはあたかも世界のはじまりから固定したものとして存在していたと錯覚してしまいかねないが、どんな絵も、かつてのあるときに、誰かの手によって描かれたものなのだ。しかも『岩窟の聖母』は、同じ構図のものが2点あるから、この第2作の絵が、第1作と何が同じで何が違うのか、どこが改変されたのか、「2」のスタジオのプロジェクション・マッピングの映像で説明されていたので、目の前にある「第2作」の絵を、ルーブル美術館にある「第1作」と比べた目で見てしまう。さらにこの展覧会の「3」のコーナーで、絵画における影と光の効果に、あれこれの実験装置を通して「光と影」を見る目が、自分の中でスイッチが入ってしまったので、絵の中で、光がどこかから差し、どこで反射して、そして何を照らしているのか、つい見てしまう。
しかし、いろんな見方で『岩窟の聖母』を見てはみたが、この絵のある1つの特徴に気づいてからは、そのことに心奪われて、わざわざ祭壇がプロジェクション・マッピングで豪奢に演出されているのに、もう「それ」しか目に入らなくなってしまった。それ、というのは、絵の画面の、光の反射だ。

その展示室で、『岩窟の聖母』には、明るく強い照明が当てられていた。その周囲がプロジェクション・マッピングの光で照らされているのだから、その光に負けないように、よりいっそう強い光が、絵の画面に当てられていた。そして、その強い光によって、絵の表面が反射し、白く輝き、何が描いてあるのかすらわからない、日光を反射する水の面のキラキラの輝きのように見える。光は、筆の動きの跡までも浮かび上がらせ、その痕跡の絵具の凹凸が、光と影によって、筆の毛の軌跡までも浮かび上がらせて見える。絵の表面は、筆の痕跡が作る、線の集合のような模様で満ちていた。

その中で、そういう光の反射が起こらない箇所がある。マリアの顔のところがそれで、顔の周囲の服や紙は、火明かりが反射して、白くなっているのに、顔だけはまるで無反射ガラスで覆われているかのように、あるいはそれは闇の中か、白い光の中から浮かび上が

『岩窟の聖母』のマリアの顔は光を反射しない。ロンドン・ナショナル・ギャラリー

った幽霊の顔のように、顔だけが光の反射を免れて、くっきりとそこに見えた。

なぜだ!?

なぜ、顔だけが光らない。つまり絵の中で、そのマリアの顔だけが、全く別の技法で描かれているからなのだろうが、そんな無反射ガラスみたいになるような技法が、どうしたら可能になるのだろうか。

じつは、これが「スフマート」の技法の効果なのだ。『モナリザ』と『ラ・ベル・フェロニエール』(1490年頃)の3点の顔だけが、ダ・ヴィンチ特有の、薄い絵具を長い時間をかけて塗り重ねたスフマート技法で描かれているのだが、それが「顔が光を反射しない」という奇跡のような効果を生み出している。

もちろん、そのとき以前に、スフマートというダ・ヴィンチの描法のことは知っていた。しかし、それがどんな世界を立ち上がらせ、見るものの心にどんな効果を及ぼすのか、そこまでは分からなかった。まるで本物が実在するように見えるとか、繊細な明暗のバランスが生まれるとか、考えてはいたが、靄に包まれた世界に、くっきりと「実在」が浮かび上がるような効果は、実物の絵を前に、しかもそこに強い光の照明を当てて、それをこちらの肉眼で見るまでは、実感できなかった。

どうしたら、こんな絵が描かれるのか。どうしたら、こんな世界を作り上げることができるのか。古典というのは、古典としての安定した枠組み、安定した見方の中に収まっていると考えてしまいがちだが、優れた芸術というのは、まるでいま生まれたばかりのように、いつでも新しい。

『岩窟の聖母』が、こんなに新鮮に見える時間が訪れるとは、この展示空間に入って、実物の絵を見るまでは、想像だにしなかった。

ダ・ヴィンチという画家の、天才の秘密を、また1つ、垣間見ることができた。

# 第5章　パリ、501年目の『モナリザ』への旅

## 史上最大のダ・ヴィンチ展@ルーブル美術館

パリに着いたのは夜だった。

夕方にロンドンを発つ便に乗って、夜の闇の中を走る列車で、シャルル・ド・ゴール空港から北駅に行き、ホテルにチェックインしたときは、もう深夜0時を過ぎていた。ルーブル美術館のレオナルド・ダ・ヴィンチ展は、翌々日の午前に予約していた。もしロンドンからパリへの移動に何かトラブルがあって遅れたら、パリ着の翌日ではルーブル美術館に行けないことも起こりうる。1日の余裕をみて、パリの最終日に、旅の最後に、ダ・ヴィンチの展覧会を堪能しようという訳だ。

ダ・ヴィンチ没後500年を記念して開催される展覧会で、しかもルーブル美術館だ。これは「史上最大のレオナルド・ダ・ヴィンチ展」とも言われていたが、それは過去最大であるだけでなく、未来においても、こういう規模のレオナルド・ダ・ヴィンチ展は、もう企画されることはないだろう。だから、見逃すことはできない。

展覧会は、ネット予約のみで、30分刻みの入場時間で、どの時間帯のチケットもほぼ売り切れ状態だったが、日本で早めに予約したので、午前9時半のチケットを取ることができた。

パリに着いた翌朝、カフェで朝食をとった。クロワッサンとフランスパンのスライス、それにオレンジジュースとカフェオレという、典型的なフランス式の朝食メニューだ。パンは2種類あって、柔らかい（しかし薄い表面はカリッとしている）クロワッサンと、噛み応えのある硬めのフランスパンの組み合わせは、同じパンでも食感が違うので、両方食べても飽きることがない。これに冷たいオレンジジュースと温かいカフェオレの組み合わせで、朝から「パリに来たな！」という気分になる。

「パリに来たな!」という気分にさせるカフェでの朝食

ルーブル美術館の見学を前に、1日、自由な時間が取れた。自分は、美術研究が専門なので、やはり1日、パリ市内の美術館に行くことにした。午前中は彫刻家アルベルト・ジャコメッティ（1901～66年）のアトリエを美術館にしたジャコメッティ財団に行った。

この小さな美術館は、最近オープンしたばかりで、行くのは初めてだった。

小さな扉から中に入り、予約券を見せた。すぐ横に、ガラス張りのジャコメッティのアトリエがある。彫塑の台やイーゼル、作りかけの彫刻、ジャコメッティのメガネなどが置いてある。ついさっきまで、もう故人ではあるが、ジャコメッティがここで仕事をしていた、という空気感も残っている。芸術家が、自分の時間を、芸術との語らいで満たしている。アトリエ訪問というのは、そういう気持ちを味わえるのが楽しい。

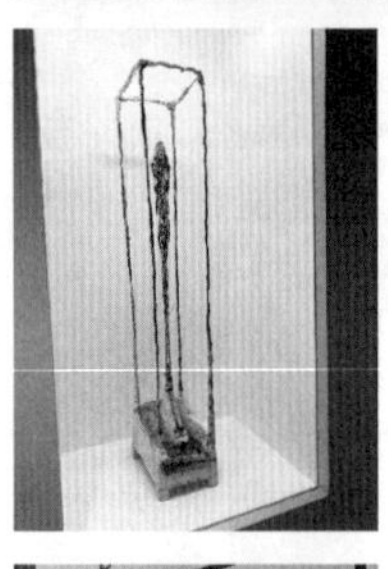

彫刻家アルベルト・ジャコメッティのアトリエを美術館にしたジャコメッティ財団

その先に、狭い通路があり、壁のくぼみに、細長いジャコメッティの彫刻が置いてある。細長い直方体の枠の中に入っている。これを見て思ったのは、レオナルド・ダ・ヴィンチの「ウィトルウィウス的人体図」のことだ。四角形と円が組み合わさった形の中で、手と足を開いた男が描かれている、小さなデッサンのような絵だ。しかしダ・ヴィンチのものは、心理的な表現でいうとドライというか、科学的な探究のアイコンみたいなものだが、ジャコメッティの彫刻は、不安や孤独といった感情で迫ってくる。それはジャコメッティが活動していた時代、哲学や思想でいうと、実存主義などが流行し、そういう思想の美術的造形という役割もあった作品だからだ。しかし思想や「説明」のようなものを造形するというのは、案外、作品の命が短いもので、いつの間にか古臭いものになってしまう。造形作品が芸術として本当に問われるのはそれからのことで、そういう現在の目で見ると、単に細長い人体の造形というそのことに、ジャコメッティらしいスタイルがあり、そういう彫刻を眺めるというだけで、飽きずに作品と対話することもできる。

ジャコメッティの美術館の２階には、彼の初期の頃の作品も展示されていた。彼は、初めシュルレアリスムの美学を彫刻にすることに挑戦していたが、球と、ミカンやスイカを割ったような形が擦れ合うだけの立体作品だ。その横には、ルイス・ブニュエル（１９００～83年）の短編映画『アンダルシアの犬』（１９２８年）の映像が映されていて、この映画を共同制作したサルバドール・ダリと、ジャコメッティの芸術的親近性などを体感させてくれた。

カルティエ財団現代美術館ではノコギリやオノを含め樹木をテーマにした展示が。2019年

そんなジャコメッティの美術館で過ごした後は、徒歩で近くの美術館に行ってみた。1つは、たまたま見かけたカルティエ財団現代美術館で、樹木についての展示をやっていた。もちろん美術との関わりでの樹木というテーマをクローズアップしたものだが、展示物の中には、ノコギリやオノが、壁に展示され、樹木というもののリアリティを物語っていた。

さらに歩いて、彫刻家オシップ・ザッキンの自宅兼アトリエを公開したザッキン美術館にも行った。モンパルナスに近い、パリの南の方の地区だ。なぜか、その頃、パリのアートは「樹木」が流行していたのか、ザッキン美術館の特別展示も樹木にかかわるものだった。森の写真が壁に貼られ、その前に木彫の作品が並んでいる。トーテムポールのような、樹木の幹の形を最大限に生かした造形だ。ジャコメッティの彫刻もあった。数人の細長い人物が、ただ立っているだけのもので、そういう主題の展示空間の中で見ると、ジャコメッティの人物像も植物や樹木のように見えてくる。午前、ジャコメッティの美術館でそういう細長い人物像の彫刻を見たとき、これは実存主義とかの流行の思想を解説したような彫刻ではなく、もっと普遍的な、根源的な何かに通じるようなことを造形していると感じたが（もちろん実存主義にも普遍的な力があるが、ここで言っているのは、あくまで時代の流行を追っているという表面的なことに対しての話）、ジャコメッティの彫刻の魅力は「樹木」だったのか、と教えられた。

ザッキン美術館の庭には、樹木が何本もあって、その間にザッキンの彫刻が立っている。その彫刻も、やはり樹木というもののエッセンスを造形したようなものに見えた。ジャコメッティにはじまって、ザッキンに終わった美術館めぐりの1日だったが、樹木という1本のすじに貫かれた芸術世界が見えた1日でもあった。

夜は、昨晩とは別の、ルーブル美術館に近いホテルにチェックインした。夕食にポトフが食べたくなり、レストランを検索すると、近くにポトフ専門のレストランがあった。

ルーブル美術館近くのポトフ専門店での夕食

レストランでは、ポトフを注文し、ペリエとワインを飲んだ。煮込んだ肉や野菜の中に、大腿骨と思われる太い骨の、空洞になった中に髄のようなものが入っていて、これをパンに載せて食べると良いと店の人に教えられた。12月も末の、寒い夜だったが、食事を終えたら体が温まった。

明日は、旅の最終日。ルーブル美術館で、おそらく最初で最後と思われる、レオナルド・ダ・ヴィンチの最大規模の展覧会を見る。ダ・ヴィンチをめぐる、自分の長い旅も、これで一区切りを迎える。まずはゆっくり眠り、明日に向けて、英気を養うことだ。パリのホテルで、自分は眠りについた。

## 3枚だけに使った技法スフマート

パリ2日目、それはパリ滞在での最終日でもあったが、午前にルーブル美術館に行った。

これまでで過去最大級というルーブル美術館のレオナルド・ダ・ヴィンチ展だが、報道を見ると、いくつもの困難に直面していたようだ。こちらが気にしていたのは展示される作品に関してだが、たとえば、イタリアでも大規模なレオナルド・ダ・ヴィンチ展を開催したいらしく、ルーブル美術館での展示にイタリアにあるダ・ヴィンチの絵画を出品する見返りに、ルーブル美術館所蔵のダ・ヴィンチ絵画を貸してほしいと希望したが、交渉がうまく進んでいないらしい。たしかに、自分がイタリア側だったら、イタリアにあるダ・ヴィンチ絵画全点を貸す見返りに、『モナリザ』をイタリアに貸してほしい、とか主張するだろう。この問題は、もうルーブル美術館長とイタリア側との交渉というレベルではなく、文化大臣、外務大臣、さらには大統領レベルの判断に委ねる、というところまで話がいったようだ。しかし結局、交渉は決裂し、ルーブル美術館での展覧会場には、イタリアにあるダ・ヴィンチ絵画は、複製の原寸大パネルが展示されているだけだった。「その場所」に、全て本物のダ・ヴィンチ絵画が展示されていたら、まさに没後500年にして、夢のダ・ヴィンチ全点展示が実現したかもしれないが、それは夢に終わった。それに倣ったのか分からないが、各国で所蔵しているダ・ヴィンチ絵画は、それぞれ各国から1点ずつという感じの出品になっていた。イギリスからは『聖アンナと聖母子のための画稿』、ロシアからは『ブノワの聖母』、そしてイタリアからはヴァチカン美術館蔵の『聖ヒエロニムス』というふうに。さらには、約4億5000万ドル（約500億円）で落札されて話題になった『サルヴァトール・ムンディ』（1490〜1500年頃）も、ルーブル美術館側が「レオナルド・ダ・ヴィンチ作」と表記するのを拒んだため、出展が実現しなかった。

そんなふうに、完璧なレオナルド・ダ・ヴィンチ展が実現した訳ではなかったが、しかし、ルーブル美術館という、他ではなし得ない美術館だからこその、実現しうる最大限の展覧会であることに間違いはない。そんな情報をあれこれ目にした後に、とうとうルーブル美術館へと足を踏み入れた。

美術館の吹き抜けロビーに入ると、黒い背景に1人の女性像を描いた『ラ・ベル・フェロニエール』がメインのイメージに使われていた。この顔も、ダ・ヴィンチ後期の技法である「スフマート」で描かれた顔の人物画だ。2日前に、ロンドンのダ・ヴィンチ展で見た『岩窟の聖母』と同じく、スフマート技法の絵画だ。その絵の表面は、無反射ガラスのようになり、強い光を当てて反射させても、服や髪は光を反射して白く輝くのに、スフマ

ルーブル美術館では最大級のダ・ヴィンチ展を見る。ロビーでは『ラ・ベル・フェロニエール』がモチーフに

ートで描かれた顔だけは、闇から浮かぶ幽霊のように、無反射ではっきりと見える。このような描き方の絵画は、ロンドン・ナショナル・ギャラリーの『岩窟の聖母』とルーブル美術館所蔵の『ラ・ベル・フェロニエール』と『モナリザ』の3点だけだ。

## スフマート3点以外の顔は光るのか？

そこで気になったのが、それ以外のダ・ヴィンチ絵画では、画面に強い光を当てると、その箇所はどの絵でも白く反射して光るのか、ということだ。特に、『モナリザ』と同じく、死のときまでダ・ヴィンチが手元に置き（そしておそらく加筆を続けていた）、２点の絵画『聖アンナと聖母子』と『洗礼者ヨハネ』、それにロンドンの『岩窟の聖母』(第2作)と同じ図柄で、ロンドンのものよりだいぶ以前に描かれた『岩窟の聖母』(第1作)は、いったいどうなっているのか、この目で確かめてみたかった。

この3点の絵画、『聖アンナと聖母子』と『洗礼者ヨハネ』と『岩窟の聖母』(第1作)は、どれもルーブル美術館の所蔵だ。展示作品の交渉で展示が実現しなかった絵もあるが、ルーブル美術館のものなら、どれも展示されているだろう。ともあれ、良い機会だ。そこで自分は、それらの絵の前に立ち、こちらの視点をアチコチ動かしてみて、その描かれた顔に絵を照らす光が当たる位置を探して、それを確かめることにした。ふつう、美術館での絵画鑑賞で、天井からの照明が絵の画面を反射するのは、絵を見難いものにしているだけで、邪魔な効果でしかないが、このときは逆に、絵を照らす光が、画面をテカらせるのが、鑑賞のポイントになった。そしてこの3点の絵で、人物の顔に光が当たり反射する位置を見つけ、写真を撮ってみた。

どの絵も、その顔は白く強烈に光り、無反射にはならなかった。こんなやり方でダ・ヴィンチ絵画を鑑賞する人が他にいるのか知らないが、ともかく自分でそのやり方を考案し、自分で実践してみた。絵画というのは、そこに何が描かれているかだけでなく、どのよう

『聖アンナと聖母子』『洗礼者ヨハネ』『岩窟の聖母』(第1作)は、顔が照明の光を反射する。ルーブル美術館

に描かれているかだけでもなく、絵画は絵画という「モノ」であり、そのモノであることの効果もまた、絵画の魅力の一部なのだ。こういう見方もまた、レオナルド・ダ・ヴィンチの絵画の本質に迫る、1つのアプローチであることは間違いない。

## もう1つの『受胎告知』

ルーブル美術館の「レオナルド・ダ・ヴィンチ展」は、ダ・ヴィンチ絵画のオールスターが勢揃い、とまでは言えなかったが、主要な絵画が出揃った、またとない展覧会であることは間違いない。この本も終わりになるが、最後に、そこに展示されていたダ・ヴィンチ名画を1つ1つ見ていくことにしよう。まずはダ・ヴィンチ20代のときのフィレンツェ

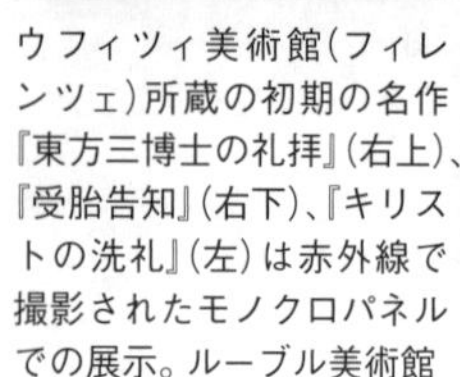

ウフィツィ美術館（フィレンツェ）所蔵の初期の名作『東方三博士の礼拝』（右上）、『受胎告知』（右下）、『キリストの洗礼』（左）は赤外線で撮影されたモノクロパネルでの展示。ルーブル美術館

時代の絵画から。

先にも書いたが、ルーブル美術館（あるいはフランス政府レベル）と、イタリアとの交渉はうまくいかず、ウフィツィ美術館のダ・ヴィンチ初期絵画の名作は、どれも展示されていなかった。その代わり、赤外線で撮影されたモノクロのパネルが展示されていた。

寂しい限りではあったが、致し方ない。他にも、アメリカ・ワシントンのナショナル・ギャラリー所蔵の『ジネブラ・デ・ベンチの肖像』や、ドイツ・ミュンヘンのアルテ・ピナコテーク美術館所蔵の『カーネーションの聖母』も、同じくモノクロの赤外線写真の展示だった。

こんなふうに、ダ・ヴィンチ20代のフィレンツェ時代の絵画については、企画が全敗という感じであったが、そんな中、ウフィツィ美術館にある『受胎告知』とは別の、もう1

つの『受胎告知』(1472年~82年)が展示されていた。

こちらの『受胎告知』はルーブル美術館所蔵のもので、サイズは横が約60センチ、高さが約15センチととても小さなものだ。ルーブル美術館自身の所蔵のものだから出品交渉に

ナショナル・ギャラリー(ワシントン)所蔵の『ジネブラ・デ・ベンチの肖像』(右上)、アルテ・ピナコテーク美術館(ミュンヘン)所蔵の『カーネーションの聖母』(右下)も赤外線で撮影されたモノクロパネル。ルーブル美術館

(左)ルーブル美術館所蔵、もう1つの『受胎告知』

は何の問題もなかったのだろう。

この絵は、ウフィッツィ美術館の『受胎告知』と、人物の配置や、背景の構図がずいぶん似ている。もちろん、ウフィッツィ美術館の『受胎告知』のような、神の手をもった天才画家が現れた！と告げるような迫力はない。しかし、周りに展示されているのが、モノクロ写真のパネルばかりなので、それが引き立て役になって、この小さな板絵の、色彩の美しさや、その小ささ故の愛おしさが際立って感じられた。いつもは、ルーブル美術館の広い通路のようなところに、地味に展示されている絵だが、こうやって見ると、なかなか味わい深い。小さい故に、全体の構図も1つのまとまりとして感じられて、この絵もまた名画なのだという説得力を感じた。

ともあれ、そんなふうに、フィレンツェ時代の若きレオナルド・ダ・ヴィンチ絵画の展示は全滅という感じではあったが、しかし小さな『受胎告知』の（自分の中での）再評価に加え、さらに初めての素晴らしい展示があった。この、一見全滅とも思えるフィレンツェ絵画の展示であったが、実際に足を運んでみると、そうではなく、このフィレンツェ絵画のコーナーを見るためだけでも、パリにまで出かけて損はなかった、と思えた。修復を終えて、きれいに蘇った『聖ヒエロニムス』が、アメリカの巡回を終えて、このルーブル美術館の「レオナルド・ダ・ヴィンチ展」にやってきたのだ。

　この絵の制作は、ウフィツィ美術館の『東方三博士の礼拝』とほぼ同時期のもので、単色で塗り残しの多い未完成の作品であることも、両者の共通点である。陰影の描写による

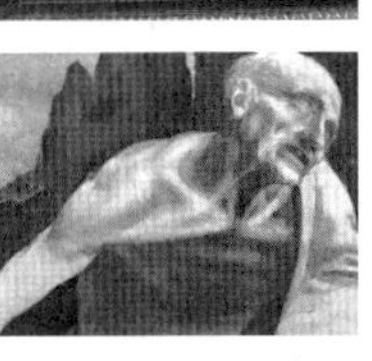

ヴァチカン美術館（ヴァチカン）所蔵の『聖ヒエロニムス』

人物の彫琢（ちょうたく）は迫力があり、また解剖学研究の痕跡もうかがえる筋肉表現にも独自の美しさがある。以前、ローマのヴァチカン美術館で見たときは、薄汚く地味で、印象は薄かったが、修復が済んだ絵は、モノクロと思われたものが、背景の山河の風景には水色が塗られ、そこに美しい色彩のトーンがあったことも確認できた。
　この絵は、いまでこそ、こんなふうにＶＩＰ待遇的な雰囲気で、「レオナルド・ダ・ヴィンチ様の絵画だぞ」という感じで展示されているが、数奇な運命を辿ってきた。18世紀

に一度行方不明になり、19世紀になってから再発見されたのだが、そのとき、この絵の一部は切り取られ、机として使われていたのだ。つまり、この絵の価値は、そのときは「板」でしかなかった。レオナルド・ダ・ヴィンチとはいえ、その存命中から現在まで、世界の隅々の誰からも、天才と崇められ、尊敬されてきた訳ではない、ということがわかるエピソードだ。

ともあれ、そんなふうに、フィレンツェ時代の絵画のコーナーも、存分に味わい愉しむことができた。そして次は、ミラノ時代の絵画だ。

## 昨日はロンドンの『岩窟の聖母』、今日はパリの『岩窟の聖母』

レオナルド・ダ・ヴィンチでミラノといえば、何よりも『最後の晩餐』だが、これは建物の壁に描かれたものなので、ルーブル美術館までやってくることはない。これはフランス・イタリア両国の政治的折衝以前の制約だ。その代わり、レプリカが展示されていた。『最後の晩餐』はレプリカであるが、しかしその分、画像も鮮明でそれぞれの人物のポーズの確認などには、これはこれで眺めて愉しめるものではあった。

ミラノ時代のダ・ヴィンチの代表作といえば『岩窟の聖母』がある。他にも、ミラノ・

壁画の『最後の晩餐』（サンタ・マリア・デッレ・グラツィエ教会）はルーブル美術館にやってこられないのでレプリカの展示

アンブロジアーナ図書館・絵画館蔵の『音楽家の肖像』、『ラ・ベル・フェロニエール』などが展示されていた。

『岩窟の聖母』は、ロンドンのナショナル・ギャラリー所蔵の「第2作」を、前日に見てきたばかりだった。なので、ついその記憶と、目の前にある絵を、比較してしまう。両者は、似た構図の絵で、人物の配置も、背後の岩の形までうりふたつだ。それもそうで、そもそも1488年、ミラノの無原罪懐胎信心会というところから依頼された宗教画を、ダ・ヴィンチが完成させなかったので（＝納品しなかったので）、報酬についての訴訟が起こり、完成作を渡すために（おそらく）弟子が描きあげたのがロンドンにある第2作ということになる。

ルーブル美術館所蔵（上）とナショナル・ギャラリー（ロンドン）所蔵（下）の『岩窟の聖母』

この2枚の絵を比べると、違いもある。たとえば、第1作には、キリストやマリアの頭上に浮いている円形のリングがない。ロンドンの第2作では、ヨハネが十字架を抱えているが、それもパリの第1作には描かれていない。では、第1作にはいろいろ欠けているかというと、逆もある。第1作では、天使は右腕の人差し指を伸ばし、謎めいた、何かを暗示するポーズをしている。その天使の右手は、第2作では描かれていない。つまり、ダ・ヴィンチは、第1作では宗教的な約束事などは省いて、それよりも洞窟という暗い空間での、神秘的な雰囲気を描き出すことに腐心しているのだ。その点で、第1作こそ「ダ・ヴィンチが描きたかった絵」で、しかしそれゆえに宗教画として不十分で、注文主から受け取ってもらえなかった。

しかし、自分にはキリスト教の信仰心もないし、何より「画家」ダ・ヴィンチの世界を堪能したいのであって、納品するために描かれたような第2作なんかより、やはり謎めいた世界が立ち上がる「第1作」こそ傑作だ。自分は、それまでずっと、そんなふうに思っていた。特に、画面右端の天使の服の描写だ。ルーブル美術館にある第1作では、天使は、ダ・ヴィンチの絵のトレードマークともいえる、布に皺がより、それに光が当たった、その質感は抜群の描写力だ。これはダ・ヴィンチが、若いフィレンツェ時代から、ずっとその技を磨いてきた描き方だが、それがこの絵でも存分に生かされている。それに比べると、ロンドンにある第2作の方は、薄いレースの服が、存在感もなく描かれている。

ルーブル美術館所蔵の『岩窟の聖母』(部分)

**絵はその人その人が自由に考え、感じればいいのだ**

しかし今回、両者を連続的に見る機会を得て、じつはその考えが変わった。その理由は、あの無反射ガラスのような技法で描かれた、マリアの顔の描写だ。両者を比べてみよう。

この2つの顔を見ると、首の傾け方、微笑んだ表情など、とても似ているが、「絵画」として見ると、その顔の塊としての存在感、明暗の対比のドラマチックさ、それに微妙な表情に込められた含蓄など、はるかにロンドンにある第2作の方が優れている。『岩窟の聖母』の絵全体としての比較はともかく、この聖母マリアの顔だけ見れば、ダ・ヴィンチの筆には「進歩」や「深化」が見られる。間違いなく、ロンドンの『岩窟の聖母』の顔は、レオナルド・ダ・ヴィンチが描いている。ダ・ヴィンチ以外に、こんな描写ができる弟子などいない。ロンドンの『岩窟の聖母』の、聖母の顔に光を当てても反射しないということに気づいて、それをきっかけに、その聖母の顔をまじまじと見ることになったのだが、

ナショナル・ギャラリー蔵（ロンドン／上）とルーブル美術館蔵（パリ／下）の『岩窟の聖母』、マリアの顔の描写の違い

この顔の描写・造形は、ダ・ヴィンチの絵の中でも超一級のものだと、自分はこの旅で思い知ったのだった。

ダ・ヴィンチのミラノ時代の絵では、『音楽家の肖像』、

『ラ・ベル・フェロニエール』などもあった訳だが、この絵では『音楽家の肖像』の方は、研究者によっては、これは果たしてダ・ヴィンチの絵か？　違うのではないか？　という

（上）ダ・ヴィンチ、ミラノ時代の作品、『音楽家の肖像』（アンブロジアーナ図書館・絵画館蔵／ミラノ）と（中・下）『ラ・ベル・フェロニエール』（ルーブル美術館蔵）

見解もある。もちろん結論などというものはないし、もし結論が出ても、それはその時代の研究者同士の合意事項に過ぎず、時代が変われば見解が変わることも起こりうる。なので、この『音楽家の肖像』だって、結局のところは永遠に分からないが、自分なりにあれこれ考えて楽しむことはできる。自分は、かつてミラノのアンブロジアーナ図書館・絵画館でこの絵を見たとき、顔の鼻から目にかけてのあたりの描写に、その影による顔の彫りの造形力に、並々ならぬ技量を感じて、少なくともこの絵のその部分、つまり絵の中の人

物の顔、特にその中心部にはダ・ヴィンチの手が入っていたのではないかと考えた。今回、改めて、そんな気がしたし、スフマートで描かれた『ラ・ベル・フェロニエール』にも魅力を感じた。絵は、その人が自由に考えて、自由に感じれば良いのであって、別に感想を他人に強制されるものでもないので、自分も自由に見て、楽しんだ。ともあれ、これらの絵を眺めている時間は、凝視している時間は、迫力あるものと向き合っている感じで、充実した時間となった。

## 「過去最大規模のレオナルド・ダ・ヴィンチ展」ならではの趣向

そしてミラノ時代の絵を見た後は、ダ・ヴィンチの晩年へと向かう、ミラノを発ってからの絵、『聖アンナと聖母子』や、『洗礼者ヨハネ』などが展示されている、この展覧会の最後のコーナーとなった。

『聖アンナと聖母子』も『洗礼者ヨハネ』も、このルーブル美術館の所蔵で、わざわざダ・ヴィンチ没後500年記念の展覧会に足を運ばなくても、見ることはできる。しかし、ここまでのフィレンツェ・ミラノ時代のダ・ヴィンチ絵画の展開を、多くの実物で見て、その流れで、ダ・ヴィンチが死のときまで手元に置いて、おそらく加筆修正をしていたと思われる絵を見ることで、ダ・ヴィンチの絵画に一貫したもの、あるいは晩年に近づくにしたがって取り組んだ、新たな試み・探究などを炙り出すこともできる機会となった。

「この展覧会ならでは」ということでいうと、ルーブル美術館の『聖アンナと聖母子』と、ロンドンのナショナル・ギャラリー所蔵の『聖アンナと聖母子のための画稿』が並べられて展示されたことだろう。下絵と、完成作が、没後500年のご祝儀として、いわば「再会」を果たしたのだ。その絵は、壁に横に並べられたのではなくて、絵同士が互いを見られるように、とでもいうふうに、90度の角の壁の、あっちとこっちに展示されていた。

こんなふうに並べられてみると、改めてサイズ感が同じであること、また人物の配置の共通点と相違、そして下絵という紙に木炭による描法と、板に多彩色の油彩という描法の違いなど、あれこれが浮き彫りになり、それを実感として鑑賞できる。そして今回、気がついたのは、完成作の『聖アンナと聖母子』は、構図

『聖アンナと聖母子のための画稿』(ナショナル・ギャラリー／ロンドン)『聖アンナと聖母子』(ルーブル美術館)を並べて展示。2019年、ルーブル美術館

の中での人物の位置が微妙に変わることによって、まるで「宇宙的」とも思わせる壮大な世界が垣間見えてきたことだった。

そんな発想をもってしまったのは、この『聖アンナと聖母子』を見る直前に見た、1枚のスケッチの記憶が脳裏にあったからだ。それは、球体にできる影が、どういうものになるか、ダ・ヴィンチの思考を図示して描いたものだった。その球体とは、星であり、月である。太陽の光が、月に当たり、それを見る視点によって、満月になったり半月になったり三日月になったりする。どの角度から光が当たると、どの角度から見ると、その球体の光と影は、どんな形（半月とか三日月とか）を作るのか。そういうスケッチだ。しかし、そこに描かれているのは、光源と、その光を受ける球体の2つだけではない。光と影の変化を、いくつかの球体の位置をずらしながら描いている。それがまるで天体の運行に見える。いや、球体の位置が変わるのだから、それは運行そのものだ。天体の動きなのだ。

こういうスケッチを見た直後に、ダ・ヴィンチの傑作絵画を間髪容れずに見られる、という体験ができるのは、このような「過去最大規模のレオナルド・ダ・ヴィンチ展」ならではのことだ。もちろん、研究室で、書斎で、パソコンの画面で、その図像を比較する作業くらいはできる。しかし、絵画でもスケッチでも、本物のもっている訴求力は、まったく違う。本物を見ると、そこに思考の息遣いさえも聞こえてくるほどに、ありありと「伝わって」くるのだ。
そんなふうにして、ダ・ヴィンチの天体のスケッチを見た後に、『聖アンナと聖母子』を見て、両者が照応し、「つながって」見えてきたのだ。つまり、『聖アンナと聖母子』という、単なる人間の家族を描いたものが、あたかも天体が奏でる音楽であるかのようにすら見えてきたのだ。

球体に光が当たる角度によって「半月形」や「三日月型」の違った形が作られることを研究したダ・ヴィンチのスケッチ

## 大宇宙と小宇宙の照応こそがダ・ヴィンチの世界観

この人物の頭部を見てほしい。その3つの頭部は、まるで円弧の曲線上に連なるように、絵の構図の中に配置されている。それが、ダ・ヴィンチが手稿に描いた天体の図と似て、まるで頭部という天体が、絵画という宇宙の中を公転して横切っていくかのように、自分には思えたのだ。

『聖アンナと聖母子』(ルーブル美術館)、3つの頭部が同一の円弧上に並ぶ

『聖アンナと聖母子』には、3人の人物がいる。幼児キリストと、それを見つめる聖母マリア、さらにその背後で微笑んでいる祖母のアンナ、この親子3代が体を寄せ合うようにして、見つめ合い、微笑みを交わしている。これは、そういう一家団欒の絵図である。

しかし、この3人がいる場所は、寛ぎのリビングのソファの上とかではない。背後には峨々たる高山が聳え、3人の足下も、岩と砂ばかりの荒野である。まさか、リビングルームで寛ぐ3人の背後にあるのは、インターネット時代のこんにちの「バーチャル背景」などではないだろう。これは、500年前の絵画なのだ。

なぜ、この家族は、こんな荒野にいるのか？　レオナルド・ダ・ヴィンチは、いったい何を描いたのか？

レオナルド・ダ・ヴィンチの世界観というのは、大宇宙と小宇宙の照応というものだ。夏にロンドンの大英図書館で、ダ・ヴィンチが描いた天体のスケッチを見たことを、この本で書いたとき、進化論のスティーヴン・ジェイ・グールドのことを引用した（159〜160ページ）。グールドは、ダ・ヴィンチの手稿を読み解いていく中で、その思想の根本には、ミクロコスモス（人体）と、マクロコスモス（天体）があると書いた。それは、まるで黄金比の比例のように、大きなものの中に、それと同じ小さなものがあり、さらにその中に、同じ比例のもっと小さいものがある、あるいは逆に、大きなものの外に、もっと大きなものがある、という無限の入れ子構造（＝黄金比の世界）が、ダ・ヴィンチの絵にはあるのだ。

だから、大地というマクロコスモスと、人物というミクロコスモスが、照応し、響き合うように配置されている。これは『モナリザ』における、背後の風景と、モナリザという女性の対応関係にも見られる、同じ図式である。

しかも、である。『聖アンナと聖母子』におけるマクロコスモスとミクロコスモスの対比は、大地と人間だけではない。その人間が、今度は（自分が見たように）天体の運行のようでもあるのだ。つまりこの絵には、大地という地球と、天の星の運行という、もう1つの対比もある。まさに黄金比そのものの世界である。

そんなことを考えていたら、自分がいるルーブル美術館のギャラリーが、まるで宇宙に浮いた、宇宙の空間の1点のように感じられてきた。もちろん、そこは、あるいは、どこも、実は宇宙の中の1点だ。ふだんは、そんなことは考えない。なぜなら、自分がいるこの狭い世界と、その外に広がる大宇宙の照応など、実感として想うことなどないからだ。でも、そのとき、自分は、ダ・ヴィンチの力を借りて、そういう想像力を得ていた。ここは、宇宙の一角なのだ。ダ・ヴィンチは、そういう感覚を抱いて、絵を描いていたのか。『聖アンナと聖母子』に描かれているのは、星なのだ。宇宙なのだ。そしてそれは、同時に自分なのだ。人体なのだ。

ルーブル美術館のレオナルド・ダ・ヴィンチ展で、自分はそんな満たされた気持ちにな

「わかったかい?」と微笑む(?)『洗礼者ヨハネ』(ルーブル美術館／部分)

って、出口に向かった。最後に展示されていたのは、やはりダ・ヴィンチ最晩年の絵画『洗礼者ヨハネ』。ヨハネは、「わかったかい？」とウインクでもするように、天を指差して微笑んでいた。

　そんな充実した気持ちになって、没後５００年記念のルーブル美術館「レオナルド・ダ・ヴィンチ展」の会場を後にした。

## ダ・ヴィンチ漬けの2日間をツイッターで実況中継

　この旅での、パリ滞在は２日間と短いものだった。旅しながら、自分はその旅の出来事を生中継でもする感じで、ツイッターに写真と文を投稿していた。これまで書いたこととダブることもあるが、旅のまとめとして、そのツイートをここに載せることにしたい。

　２０１９年末、自分はパリで、こんなふうに過ごした。

## パリ滞在中の2日間を著者がツイッターで生中継

パリ！

布施英利（フセ ヒデト） @fusehideto · 2019年12月22日
ポトフ。・・・冬のフランスの食事は、やはりこれだな。

1　5　59

布施英利（フセ ヒデト） @fusehideto · 2019年12月22日
フランス式朝食。

布施英利（フセ ヒデト） @fusehideto · 2019年12月22日

カルティエ財団現代美術館にも行った。"樹木"をテーマにした展覧会をやっていた。・・・今の現代アートは"社会"をテーマにしたものが多く、流行のピークを迎えている感があるが、「次」は"生命"に関わる表現がくると思っている。あ、こういう展示してるくらいだから、もう「きて」いるのか。

2　9　100

布施英利（フセ ヒデト） @fusehideto · 2019年12月22日

彫刻家ザッキンの美術館に行ったら、やはり樹木をテーマにした展覧会をやっていた。ザッキンの彫刻が孕んでいた樹木的な造形性にスポットを当てるというものだった。いまパリでは、こういうの（樹木とか生命とか）が、流行っているのか？

2　1　40

布施英利（フセ ヒデト） @fusehideto · 2019年12月22日

オシップ・ザッキンの「カリアティード」という樹木の幹そのままの彫刻みると、その作品名から古代ギリシア彫刻の柱を意識したものだと分かるが、同時に日本の平安初期の仏像など連想させる。つまり、仏像の歴史の中で"樹木"そのもののアニミズムが強調された仏像。・・ザッキンの新しい側面が見えた。

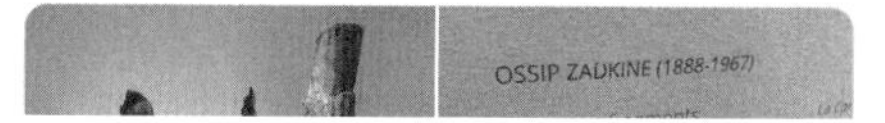

## パリ滞在中の2日間を著者がツイッターで生中継

**布施英利（フセ ヒデト）** @fusehideto · 2019年12月21日

ジャコメッティ協会で、ジャコメッティのアトリエ見た。

1　19　171

**布施英利（フセ ヒデト）** @fusehideto · 2019年12月21日

アトリエの棚に、先史時代の「レスピューグのヴィーナス」のレプリカが置いてあった！

布施英利（フセ ヒデト） @fusehideto · 2019年12月22日
パリ人類博物館に行った。（頭の皮を剥いだ老人頭部は蝋製模型）。

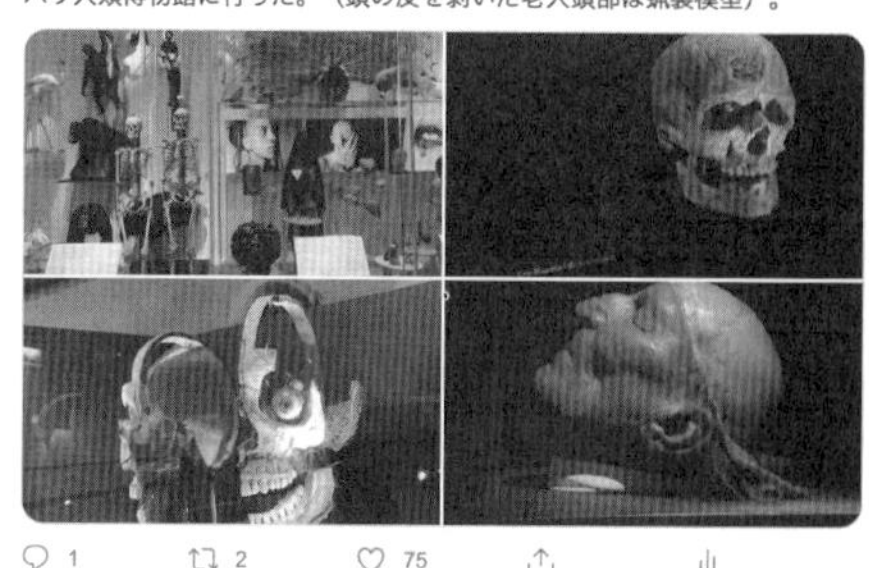

1　2　75

布施英利（フセ ヒデト） @fusehideto · 2019年12月22日
パリ人類博物館は、先史時代関連の展示が充実していて（民族誌的なものは、前身のトロカデロ民族誌博物館から、ケ・ブランリ美術館に移管されたので）、ここに行った目的は先史時代の『レスピューグのヴィーナス』見ることだったが、なんと修復中でレプリカが置いてあり、再開は果たせなかった。残念。

1　17

布施英利（フセ ヒデト） @fusehideto · 2019年12月22日
パリ人類博物館に行って、今回、気づいたどうでも良いことは（笑）、エッフェル塔の眺めが絶景のロケーションだった。

## パリ滞在中の2日間を著者がツイッターで生中継

布施英利（フセ ヒデト） @fusehideto · 2019年12月22日

ルーブル美術館で『レオナルド・ダ・ヴィンチ展』見ている。

1　4　52

布施英利（フセ ヒデト） @fusehideto · 2019年12月22日

宇宙、という言葉を使えば、聖アンナと聖母子の３つの頭部が、宇宙を公転する天体のように見えた。

2　20

## やはり『モナリザ』を見ずには帰れない

ルーブル美術館のレオナルド・ダ・ヴィンチ展の会場を出て、次はルーブル美術館の常設展示を見に行った。なんと『モナリザ』は、レオナルド・ダ・ヴィンチ展には出品されていなかったのだ。代わりにあったのは、赤外線撮影した『モナリザ』だったが、ともかく、ルーブル美術館まで来たのだ。しかもレオナルド・ダ・ヴィンチ展を見るために、パリまで来たのだ。『モナリザ』を見ないで帰る訳にはいかない。

『モナリザ』は、ルーブル美術館のいつもと同じ場所に展示されていた。館内を歩くと、「モナリザ、こちら」の矢印がついた看板がある。その道案内に沿って進む。それにしても、『モナリザ』は、改めて別格の存在だと思った。つまり、レオナルド・ダ・ヴィンチ展を見に来た訳でもない人（つまり、ダ・ヴィンチに特に興味がない人）にとっても、『モナリザ』を見ることは、ルーブル美術館に来た目的で、美術館としても、それに対応して、レオナルド・ダ・ヴィンチ展への出品を拒否（？）していたのだ。イタリアが、レオナルド・ダ・ヴィンチ展開催にあたって、イタリア所蔵のダ・ヴィンチ絵画を貸す代わりに、ダ・ヴィンチ絵画をイタリアに貸すように交渉したというが（もちろん、展示時期をずらして）、もしその要求された絵が『モナリザ』だったら、それはルーブル美術館側も拒むだろうなと思った。何しろ、同じルーブル美術館のレオナルド・ダ・ヴィンチ展にも出品していないのだ。

『モナリザ』の絵の周りは、あいかわらず大混雑していた。ロープが張ってあって、近くで見たい人は、そのロープが区切った順番待ちのところに並んで、長い時間待ってから見るしかない。

『モナリザ』の展示は、このレオナルド・ダ・ヴィンチ展に関連して、パネルで、絵の見方を5つの観点から説明したものがあった。

1つは、モナリザは誰か？　ということについて。『モナリザ』の絵画に描かれた女性は誰かということについてはいろいろな説が飛び交っているが、このパネルでは（つまりルーブル美術館の公式の見解では、ということか）、この女性は、豊かな商人だったフランチェスコ・デル・ジョ

ダ・ヴィンチ展で『モナリザ』は赤外線撮影の写真が展示され、本物はいつもと同じ常設展示（上は案内の看板）

コンドの妻、リザ・ゲラルディーニだと書いてある。その優雅な服装は、社会的なステータスを表しているとも。

そしてこのパネルの『モナリザ』の写真は、全体がモノクロになっていて、4つの部分が四角く区切られて、そこだけカラーになっている。そのカラーの小さな四角から引き出し線があり、その先にそれぞれの解説が書いてある。

顔のところからの引き出し線には、微笑みについての説明があり、その描き方の技法として、スフマートを駆使して、何層にも塗り重ね、明暗を描いている、と書いてある。次に、『モナリザ』の右肩の背後の風景のところからの引き出し線には、ダ・ヴィンチが地質学的な世界を探究したことや、空気遠近法で遠くが霞んでいる表現などが解説されている。さらに左肩の背後の風景のところからの引き出し線では、この風景の描写が「未完成」で、つまり『モナリザ』は未完成だったが、フランスに移った時もこの絵を携え、死のときまで加筆し、最後はフランソワ1世がこの絵を買った。だから『モナリザ』はフランスにある、とイタリア人画家のレオナルド・ダ・ヴィンチが、イタリアのフィレンツェでこの絵を描きはじめたが、それがいまフランスの美術館にあることの「正統性」を、解説というか主張している。そして重なった左右の手のところからの引き出し線の先には、モナリザが体を捻ったポーズについて解説されている。つまり、体は4分の3だけ斜め方向を向いているが、顔は正面で微笑んでいて、この絵に向き合う我々を温かく迎えている、という説明が書かれている。

そして、もう1つ、本物の『モナリザ』の代わりに、レオナルド・ダ・ヴィンチ展に展示してあった、赤外線撮影による、モノクロ写真の『モナリザ』についても、ここに書いておきたい。

ルーブル美術館でのレオナルド・ダ・ヴィンチ展で、『モナリザ』の代わりに展示してあった『モナリザ』は、赤外線撮影によるモノクロ写真の『モナリザ』だった。他の絵でもそうだが、こういう写真の特徴は、形の輪郭がはっきり見えて、また完成作に比べて（というか『モナリザ』は未完成なので、現場の最終形態とでも言う

ルーブル美術館のダ・ヴィンチ展では『モナリザ』は赤外線撮影のモノクロ写真（下）が展示された。上は解説

べきか）、そこに至るプロセスが見える、という面白さがある。自分は研究者なので、既にこの写真は、自宅書斎にある大きなダ・ヴィンチの本に載っていて、書斎で何度も見てはきた。しかし、キラ星のようにダ・ヴィンチの本物の絵画が並ぶ中に置かれていると、しかも同じ美術館内に『モナリザ』があるとなると、その見え方もずいぶん違ってくる。ダ・ヴィンチの隠されたもう1つの顔が、絵を別のもう1つの眼差しで見ることによって、より複合的に見えるのだ。しかも、それは完成することで隠された、そこに至るプロセスがあらわになることでもある。

## 『モナリザ』には左腕が2本

この赤外線の『モナリザ』を見て、まず気づくのが、左腕の肩から肘にかけての描写だ。上腕のあたりだ。ここには黒っぽいベールが掛けられているが、赤外線の写真で見ると、腕は、そのかなり前にある。つまり腕の量かと思った箇所が、実はただのレースの肩掛けがあるだけで、そこに腕はない。このベールの黒は、現状の『モナリザ』では塗り潰された黒のように見える。これは長年の変色で、このような塗り潰されたような黒になったのか、それともダ・ヴィンチが制作の過程で、この左腕の位置、この左腕の量感では、構図全体のバランスが悪いと、塗り潰して黒くしたのかは分からない。少なくとも、赤外線の写真のものより、肉眼で見る現状の『モナリザ』の方が、バランス良く安定しては見える。もしダ・ヴィンチが一旦、モナリザの体の造形を仕上げて、後からその量感を変えるべく、左腕のベールを濃く塗り直したのだとしたら、それはなぜなのだろう。以前から、そんなことを考えていた。

もう1つ、問題点がある。赤外線撮影のモノクロ写真の『モナリザ』を見て気づくのは、その顔の大きさの違和感だ。こちらはぱっと見で気づくというよりは、長くこの写真を眺めていると、徐々に、この絵の中で顔だけがどこか異常に見えてくるのだ。体の大きさとのバランスが悪く、また顔ばかりが生々しい存在感があって、それは顔というよりも、仮面でも被っているような、その体についた顔とは別の、「もう1つの顔」のように見える。

つまり、この赤外線で撮影した、モノクロ写真の『モナリザ』を見ていると、その制作の過程で加えられた変更が、人体を解剖してその内部構造を明らかにしていくように、絵の制作のプロセスが、垣間見えてくる。それは、どのような制作のプロセスであったのか？

『モナリザ』は、１５０３年頃にフィレンツェで描きはじめられ、それからフランスで没する1519年まで、ダ・ヴィンチと行動を共にし、ずっとダ・ヴィンチと一緒にあり、折に触れ、筆が加えられ、描き直されていった。ダ・ヴィンチの他の絵画と同じく、構図は制作の初めのところで、既に確定したことだろう。ダ・ヴィンチは、描きながら、悩みながら、構図を決めていくタイプの画家ではない。黄金比に基づいた構図のバランスや、一点遠近法を描くために消失点を決めて、そこから線遠近法の線を引き、その構図にしたがってものを配置していった。

では、『モナリザ』は、どうか。他の絵画と同じく、初めに、構図は決められたのだろう。しかしフィレンツェを離れ、長い時間の中で加筆が繰り返される中で、構図のバランスは崩れてくる。その修正をするために、他の箇所を塗り潰し、絵の画面の全体のバランスを取ろうと、絵を改変していく。『モナリザ』の制作過程で、どのような加筆、どのような改変が加えられ、現在の『モナリザ』に至ったのか。それは『モナリザ』を、自分の研究対象の1つにしてから、ずっと自分に取り憑いていたテーマだった。

そして、ルーブル美術館のレオナルド・ダ・ヴィンチ展で、このモノクロ写真の前に立ち、なぜだか、それまで見落としていた描写に目がいった。左腕の「肘」の位置だ。

左腕は、肩からまっすぐ下に下ろされている。つまり肘は、肩の真下にある。上腕は、画面の中で垂直に位置している。それはその通りだ。しかし、この写真を前に、自分は、ある種の幻覚を見たような気持ちに、一瞬、なったのだ。それはどういうことか？　モナリザの左肘が、もう1つあって、それが実際の肘よりも、後ろに引いている位置に見えたのだ。それは透明な黒いベールが（実際の『モナリザ』では黒くなっている部分）、いわばもう1つの腕の幻影で、それによって後ろに肘が引かれているように見える。『モナリザ』では、モデルの左腕が、じつはもう少し後ろにあったのではないか？　それが最終的には、現在の位置に修正された。

しかし、それは一瞬の、自分の見誤りだった。よく見れば、もう1つの左肘と思えたものは、モナリザが座っている椅子の、肘掛に過ぎなかった。円形にカーブして後ろに回り込む椅子、そこにモナリザは腰掛けているのだ。

しかし見誤りによる錯覚だったとしても、1度そのように見えると、やはりそれは「肘」にも見えてくる。いや、肘と見てしまう。そんな見方は、あなたの主観的な、勝手な見方に過ぎない。そんな批判も自分に届きそうな気もする。しかし事実、自分はルーブル美術館のレオナルド・ダ・ヴィンチ展で、この左腕の肘が、もう1つあり、それがいまある肘の後ろに引いた位置にあるようだ、というふうに『モナリザ』の造形を見ていたのだ。何より重要なのは、そういう見方をすると、この絵に、それまで気づかなかった、ある「効果」が現れてくる。それはアニメーションの動きの表現に近いもの、というのがいいのかもしれない。つまり、肘が2つ描かれていることで、それがアニメーションあるいは分解写真のようになって、それを見ているこちらの脳内に、「腕の動き」が生まれるのだ。もう一度、よく見ていただきたい。

## 左腕が連想させる微妙な運動

いかがだろう？　モナリザの左腕は、前後にピストン運動をしているように見えないだろうか。少なくとも、そのときの自分は、この写真にそんな動きを感じた。そう思うと、肘が後ろに引いているときの、左前腕は長すぎる。だとしたら、そのときの左手の甲と指は、右手で覆われたその下あたりの位置にあるのかもしれない。

さらに、想像は新しく転換した。つまり、左腕は、前後にピストン運動をして、いったい「何をしている」のか？　それは右の手のひらと指で作られた空間を、前後に突き抜く運動をしているのだ。卑猥なイメージが浮かんだ。つまり、これは性交の動きを、腕でなぞっているのではないか。

そして「交わっている」部位は、モナリザの腹部、つまり子宮のあたりである。ダ・ヴィンチは、この絵を描いていた頃（＝加筆を繰り返していた頃）に、子宮の中の胎児のデッサンを描いていた。その胎児が、この交わる手の、その向こうにはいるのではないか。いくつかのイメージが1つになった。つまり、腕を前後して性交の仕草を暗示する『モナリザ』、男女の性交の図、そして子宮の中の胎児のデッサン。それらが1つになった。

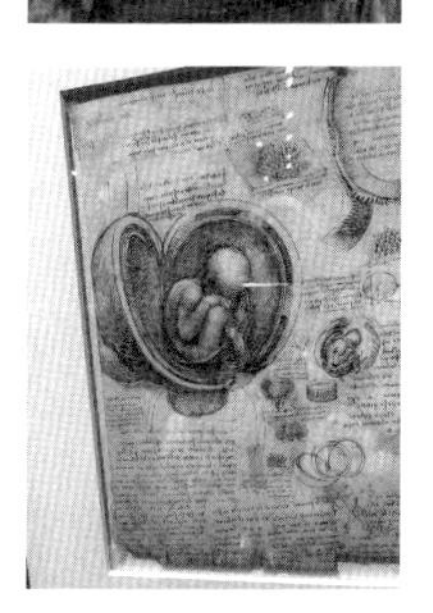

性交の仕草を暗示する『モナリザ』(中)、男女の性交の図(上)、子宮の胎児のデッサン(下)が著者の頭の中で1つになる

性交、そして胎児、そういう世界が、『モナリザ』の交差する手の背後には隠されていたのだ。予てより、この『モナリザ』の手のポーズは、妊婦がしばしばする、お腹の子どもを慈しむ、守ろうとするポーズと同じだ、と研究者の間での指摘があった。また『モナリザ』は妊婦だ、という説もあった。しかし、その手が性交を暗示し、その背後に胎児が

いる、という見方は、おそらくそのときの自分が初めてだった。『モナリザ』の研究は膨大な数があり、自分もその全てに目を通せている訳ではないので、「自分が初めて」と断言はできないが、少なくとも自分は、赤外線写真と、本物の『モナリザ』だけを前に、そのことに気づいた。それは自分の発見だった。

## 『モナリザ』は目も頬も唇も微笑んでいない

そんなふうに見ると、『モナリザ』の謎の微笑みも、また違ったふうに見えてくる。こちらに謎かけをしてきて「とうとう謎を解いたわね」という微笑みのようにも見えるし、「でも、それだけじゃないの」と、新たな謎で挑んでくるようにも見える。自分は、その微笑むモナリザの顔を、改めて凝視した。

モナリザは、じつは微笑んでいないのではないか、ということは、以前、『「モナリザ」の微笑み』(PHP新書、2009年刊)という本に書いた。モナリザの顔のパーツを見ると、目も、頬も、唇も、じつは微笑みの形をしていない。もちろん、モナリザの顔は微笑んでいるように見える。しかし、顔のパーツは微笑んでいない。ではなぜ、微笑んでいない顔のパーツが組み合わさると、そこに「微笑み」の感じが浮かび上がるのか。そういう理由を説明した本だが、要するに、目や鼻や頬や唇の、描かれたアングルが違っていて、たとえば顔の半分は正面から見たもの、顎のところは斜め前から見たもの、上唇は斜め左から、逆に下唇は斜め右からと、いろんな角度から見た顔のパーツが組み合わさって、それが1つの顔に収まって描かれると、微笑みという表情が生まれる。つまりピカソのキュビスム絵画みたいなものだが、ピカソは誰が見ても「それをやってる」と分かるような描き方をしたけれど、ダ・ヴィンチはそれと気づかれないように、わずかな差異を絵の中で造形したのだ。

かつて自分は、そういうことを本に書いたが、2019年の冬、ダ・ヴィンチ没後500年が経ったときに、ルーブル美術館で『モナリザ』の赤外線写真を見て、複数のパーツが描かれているのは、顔だけではなくて、腕もそうだった、と気づいたのだ。『モナリザ』には、たくさんの顔があり、たくさんの（2本だが）左腕がある。そう思うと、赤外線で見るモナリザの顔が、まるで仮面のように、体から離れた存在であるように見える理由にも納得がいく。ダ・ヴィンチは、1503年にフィレンツェで描きはじめた女性の肖像画を、死ぬまでもち歩き、加筆を続けることで、そこに何人もの人物を描き加えたのだ。

『モナリザ』は小さな絵画だ。ミラノの『最後の晩餐』のように、大きな画面ではない。

『モナリザ』には、たった1人の女性モナリザさんしか描かれていない。『最後の晩餐』のような群像表現ではない。『聖アンナと聖母子』のように、あるいは初期の『東方三博士の礼拝』のような、群像の複数の人物はいない。

『モナリザ』は、たった1人の人物を描いた、小さな絵画だ。それなのに、なぜ、あんなに多くの人を引きつける力があるのか？　『モナリザ』には、どうして、あれほどのパワーがあるのか。その理由は、『モナリザ』に描かれているのが、1人の人物ではないからだ。そこにはたくさんの人物像と、制作にかかったたくさんの時間が込められている。膨大なエネルギーが渦巻いている。モナリザは1人ではない。それが多くの人の心を摑む理由だ。

モナリザは　ひとりではない

# おわりに

30数億年前、生命はこの地球で誕生し、進化して、その果てにヒトが生まれた。初め、生命は単細胞の小さなもので、海の中だけで生きていた。そして5億年くらい前には、多様な形態をした生き物たちが、海の中を泳ぎ回り、あるものは深い、またあるものは浅い海底のあちこちに固着した。それから背骨をもった生き物（魚類）が誕生し、やがてその中から陸へ上がる生き物（両生類）が誕生し、さらに水辺から離れ、殻のある卵を産むことで、乾いた陸上でも命をつないでいける生き物（爬虫類）が誕生した。その間、生きるために必要な酸素は、水中のものから、陸上（＝空中）のものを摂取するように体が変化した。鰓呼吸（＝水中呼吸）から肺呼吸（＝空気呼吸）へと、体が進化したのだ。

さらに、その爬虫類から、子宮をもった雌が、卵を産まずに赤ちゃんを産む哺乳類へと進化した。そこから猿が生まれ、やがてヒトが誕生した。ヒトの体は2本の足で立つ、という特徴を獲得した。そのため、前足が歩行の役割から解放されて自由になった。さらに垂直の直立姿勢になることで、背骨も直立し、頭部は、脊柱の骨の上にバランス良く乗ることで、大きくても大丈夫になった。そこで頭蓋骨の中にある脳が大きくなった。自由に動かせるようになった手は、大きくなった脳と共働して、器用な作業が可能になった。ヒトは、二足直立の結果、その独特の脳と手で「ヒト」になった。それが自分の人間観だが、そんなふうに進化の果てに誕生したヒトの、いちばんの特性と、可能性を体現しているのが、いまから500年ほど前に生きた、レオナルド・ダ・ヴィンチであったと考えている。

では、レオナルド・ダ・ヴィンチとは何者で、何を成し遂げたのか？　それを知りたくて、自分の目と脳と体で体感したくて、これまで何度もダ・ヴィンチを見る旅をしてきた。その旅で自分で見たこと、考えたことを書いたのがこの本である。

レオナルド・ダ・ヴィンチは、1519年5月2日にこの世を去った。ダ・ヴィンチについての本を書くのは、まさにこのタイミングなのではないか、そう考え長い付き合いのある編集者の近藤邦雄さんに「ダ・ヴィンチの本が書きたい」と相談して、出版企画が通った。近藤さんとは、これまで雑誌の取材で、『ジュラシック・パーク』などの作家マイクル・クライトンのロサンゼルスにある自宅まで一緒にインタビューに行ったりしたこともあった。

しかし、こちらのダ・ヴィンチの本の執筆は、あまり進まなかった。難しく考えすぎて、執筆が行き詰まってしまったのだ。そんなとき、近藤さんが「本のタイトルは『ダ・ヴィンチ、５０１年目の旅』でどうでしょう?」と言ってきた。旅行記か、それなら自由に書けばいい、と気楽になって、一気に書き上げることができた。

イタリアへの旅で、自分と息子がイタリアで何を食べたかとか、ダ・ヴィンチの芸術や思想と関係のないことだ。しかし、そういうどうでもいいことを書くことで、自分のダ・ヴィンチ体験はスラスラと書け、自分の考えるダ・ヴィンチ像に、それなりに迫れる本になったかとは思う。

この本を読まれた方は、これまでダ・ヴィンチを見る旅をしたことがあり、その思い出をこの本に重ね、楽しまれたかもしれない。あるいは、この本をきっかけに、ダ・ヴィンチの作品を見る旅に行ってみたい、という思いが湧いた方もいるかもしれない。初めての、あるいは何度目かのダ・ヴィンチへの旅。この本が、あなたにとって、そんなダ・ヴィンチ紀行への誘いとなれたら、何より嬉しいし、この本のミッションは、それで完了する。

２０２０年５月　筆者

写真撮影　著者
図版制作　タナカデザイン

「第1章　2005年、イタリア、ドイツ、フランス、ロシア……ダ・ヴィンチ全点踏破を目指す旅」は集英社『UOMO（ウオモ）』2005年10月号掲載の「全点踏破の旅　レオナルド・ダヴィンチが45歳で達した境地を『微笑みの謎』から読み解く」を収録に際し加筆、訂正したものです。

**布施英利**　ふせ ひでと

美術批評家、解剖学者。一九六〇年、群馬県生まれ。東京藝術大学美術学部卒業。同大学院美術研究科博士課程修了。学術博士。東京大学医学部助手（解剖学）などを経て、批評活動に入る。以来、人体、脳、死生観などのジャンルと芸術の関連を探究。これまでに『死体を探せ！』（法藏館）、『構図がわかれば絵画がわかる』（光文社新書）、『ヌードがわかれば美術がわかる』（インターナショナル新書）、『洞窟壁画を旅して』（論創社）など約50冊の著書がある。また、オンラインの学校「電脳アカデミア」の活動にも取り組んでいる。


# ダ・ヴィンチ、501年目の旅


インターナショナル新書〇五七

二〇二〇年八月一二日　第一刷発行

著者　布施英利

発行者　田中知二

発行所　株式会社 集英社インターナショナル
〒一〇一-〇〇六四 東京都千代田区神田猿楽町一-五-一八
電話 〇三-五二一一-二六三〇

発売所　株式会社 集英社
〒一〇一-八〇五〇 東京都千代田区一ツ橋二-五-一〇
電話 〇三-三二三〇-六〇八〇（読者係）
〇三-三二三〇-六三九三（販売部）書店専用

装幀　アルビレオ

印刷所　大日本印刷株式会社

製本所　加藤製本株式会社




ISBN978-4-7976-8057-7　C0271